...GUÊS
...TEIRAS

...a estrangeiros do
...as

Olga Mata Coimbra
Línguas e Literaturas Modernas

...E PEDAGÓGICO

...mbra

LIDEL – edições técnicas

LISBOA — PORTO — COIMBRA

http://www.lidel.pt (Lidel on-line)
E-mail: lidel.fca@mail.telepac.pt

Componentes do método

Nível 1

LIVRO DO ALUNO

LIVRO DO PROFESSOR

CONJUNTO DE 2 CASSETES

Nível 2

LIVRO DO ALUNO

LIVRO DO PROFESSOR

CONJUNTO DE 2 CASSETES

Nível 3

LIVRO DO ALUNO

LIVRO DO PROFESSOR

CONJUNTO DE 3 CASSETES

(DESCRIÇÃO NA CONTRACAPA DESTE VOLUME)

DISTRIBUIÇÃO

LIDEL edições técnicas, lda.

LIVRARIAS: LISBOA: Avenida Praia da Vitória, 14
Telef. 354 14 18 — Fax 357 78 27
PORTO: Rua Damião de Góis, 452
Telef. 02-59 79 95 — Fax 02-550 11 19
COIMBRA: Avenida Emídio Navarro, 11-2.º
Telef. 039-22 486 — Fax 039-27 221

ILUSTRAÇÕES: Herlander Egídeo Sousa
CAPA: Maria Helena Annes Matos

Impressão e acabamento: Tipografia Lousanense, Lda.

ISBN 972-9018-20-0

LIDEL — Edições Técnicas, Lda.
Rua D. Estefânia, 183, r/c-dt.º — 1000 Lisboa
Telefs. 353 44 37 - 357 59 95 - 355 48 98 — Fax 357 78 27

Índice

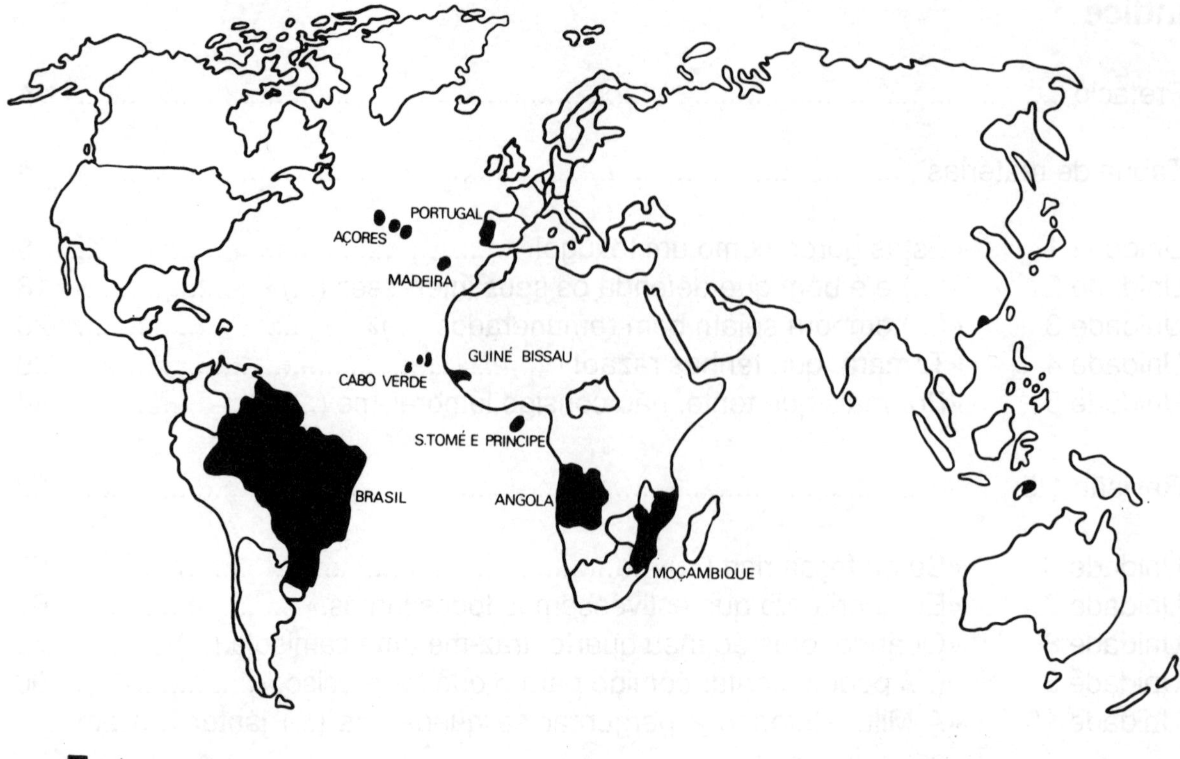

PREFÁCIO

Ao darem por concluído o seu projecto **Português Sem Fronteiras,** as autoras esperam que este 3º e último volume venha a obter o mesmo acolhimento favorável dos outros que o precederam, na medida em que estão firmemente convencidas de que de certo modo colmataram uma lacuna que desde sempre se fazia sentir.

Nesta 3º parte, em que se completa a apresentação das diversas estruturas complementares do idioma, foi igualmentre dado um maior destaque à vertente cultural de que a Língua Portuguesa é veículo privilegiado.

As Autoras

Tábua de matérias

UNIDADE	Áreas Lexicais/Tópicos Vocabulares	Áreas Gramaticais/Estruturas
8	Tempos livres (2) Províncias de Portugal e suas casas típicas	Advérbios *cá* e *lá*: emprego enfático Futuro do conjuntivo (1) Futuro do conjuntivo com conjunções e locuções Antonímia e sinonímia Revisão: tempos verbais
9	Dinheiro Mercado de trabalho (2) Mercado imobiliário	Concessivas com repetição do verbo: pres. conj. + elem. ligação + futuro do conjuntivo Do verbo, o substantivo Futuro do conjuntivo (2)
10	A produção vinícola portuguesa	Comparações (2) Disc. directo → indirecto Interrogativas indirectas Formação de palavras com a mesma raiz etimológica Revisão: indicativo vs conjuntivo; ind. vs conj. vs infinitivo
11	A arte (1) A Fundação Calouste Gulbenkian	Pret. mais-que-perfeito simples do indicativo Conjugação pronominal com o futuro imperfeito do indicativo e o condicional presente Revisão: do adjectivo, o substantivo; voz passiva; disc. indirecto → directo; tempos verbais
12	A arte (2) Pintura portuguesa	Verbo *dar* + preposições Pret. perf. comp. do conjuntivo Revisão: relativos variáveis; tempos verbais
13	Tempos livres (3) Hotelaria Turismo	Pret. mais-que-perfeito composto do conjuntivo Condicional pretérito (1) Formação de palavras com a mesma raiz etimológica Sinonímia e antonímia Revisão: preposições

UNIDADE	Áreas Lexicais/Tópicos Vocabulares	Áreas Gramaticais/Estruturas
14	Jornalismo	Futuro perfeito do indicativo (1) Condicional pretérito (2) Sinonímia Revisão: tempos verbais; disc. directo → indirecto; voz passiva
15	A arte do azulejo	Futuro perfeito do indicativo (2) Infinitivo pessoal composto Expressões idiomáticas (1) Sinonímia Do substantivo, o adjectivo Revisão: tempos verbais
16	O sistema educativo português (1)	Conjugação perifrástica: *vir a* + infinitivo Futuro perfeito do conjuntivo Pares idiomáticos (1) Sinonímia
17	O sistema educativo português (2) Estrangeirismos Neologismos	Verbo *ficar* + preposições Expressões idiomáticas (2) Revisão: disc. directo → indirecto; preposições
18	O sistema administrativo português	Verbo *passar* + preposições Pares idiomáticos (2) Orações proporcionais Revisão: indicativo vs conjuntivo; tempos verbais
19	O sistema político português	Verbo *ver* e seus derivados Verbo *vir* e seus derivados Numerais ordinais Sinonímia Formação de palavras com a mesma raiz etimológica Revisão: tempos verbais; conjugação pronominal
20	O sistema nacional de saúde	Conjugação perifrástica: *ir* (imp.) + gerúndio Gerúndio composto Palavras compostas Pares idiomáticos (3) Revisão: tempos verbais

Áreas gramaticais/Estruturas

Comparações

Advérbios: **facilmente, inteiramente, mensalmente**
Interjeições: **Pudera!**

Diálogo

Quim: Ó Zeca! Estás gordo como um texugo!
Xana: Realmente estás cada vez mais gordo.
Tó: Está, não. É! Já quando andávamos no liceu era conhecido pelo «pote».
Xana: Pudera! Passava a vida a comer.
Zeca: Lá estou eu outra vez na berlinda.
Milú: Deixem lá o Zeca em paz. Não é agora, com trinta e tal anos, que ele vai pensar em emagrecer.
Zeca: É isso mesmo. Estou muito bem assim. Nunca ouviram dizer que «gordura é formosura»?
Quim: Bom e estes jantares em que nos reunimos mensalmente, não são propriamente para fazer dieta.
Tó, Zeca, Milú, Xana: Concordamos inteiramente.
Zeca: A propósito, o que é que vamos pedir?

— Vamos lá falar!

Oralidade 1

Complete com **ser** ou **estar**.

1. O Zeca sempre __________ gordo.
2. Já quando andava no liceu __________ conhecido pelo «pote».
3. Por isso, os amigos dizem que ele não __________ gordo. __________ gordo!
4. Ele __________ uma pessoa que __________ sempre bem-disposta.
5. E quando se reúnem todos, o Zeca tem de __________ presente.

Apresentação 1

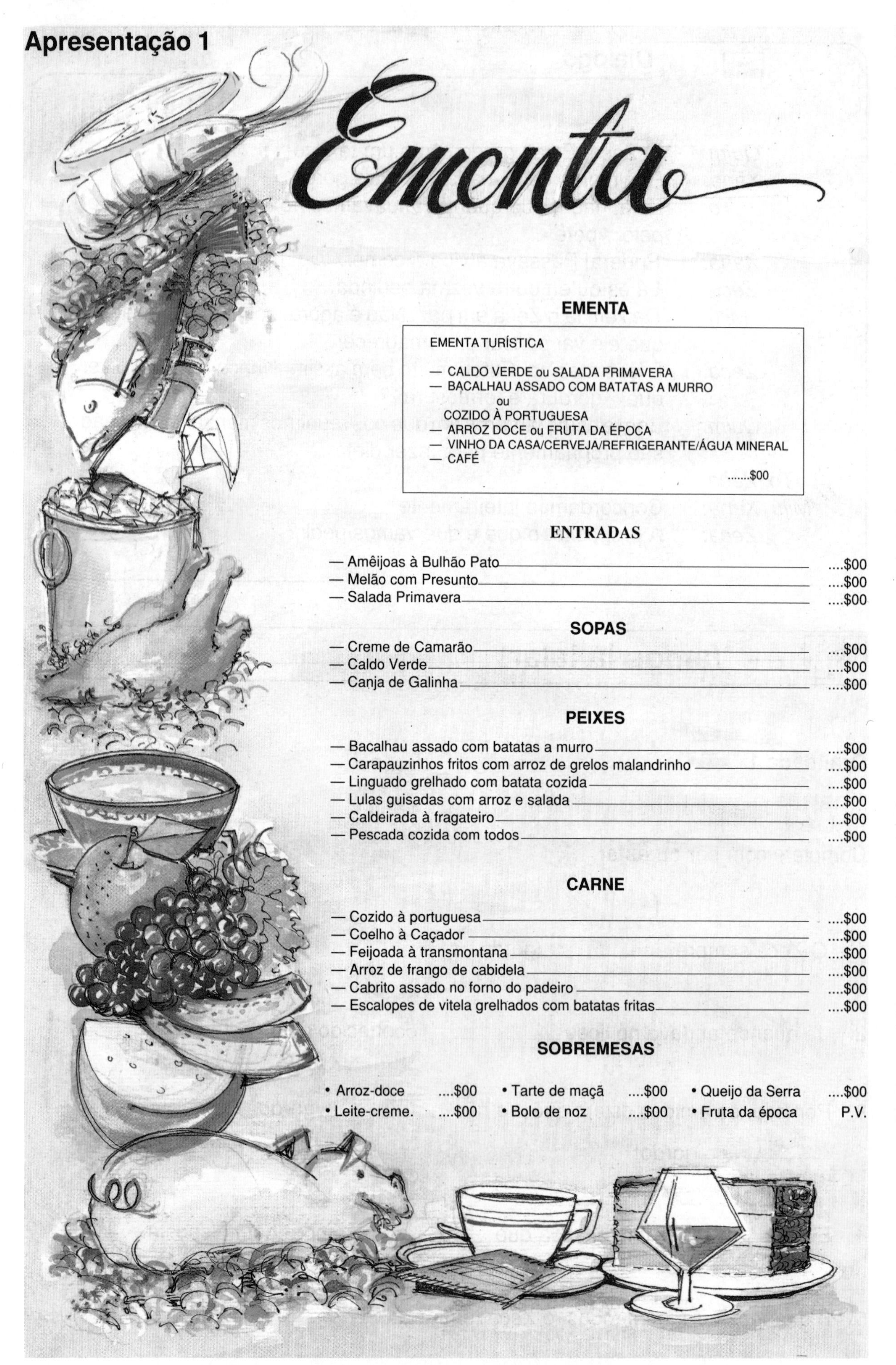

Ementa

EMENTA

EMENTA TURÍSTICA

— CALDO VERDE ou SALADA PRIMAVERA
— BACALHAU ASSADO COM BATATAS A MURRO
ou
COZIDO À PORTUGUESA
— ARROZ DOCE ou FRUTA DA ÉPOCA
— VINHO DA CASA/CERVEJA/REFRIGERANTE/ÁGUA MINERAL
— CAFÉ

.......$00

ENTRADAS

— Amêijoas à Bulhão Pato $00
— Melão com Presunto $00
— Salada Primavera $00

SOPAS

— Creme de Camarão $00
— Caldo Verde $00
— Canja de Galinha $00

PEIXES

— Bacalhau assado com batatas a murro $00
— Carapauzinhos fritos com arroz de grelos malandrinho $00
— Linguado grelhado com batata cozida $00
— Lulas guisadas com arroz e salada $00
— Caldeirada à fragateiro $00
— Pescada cozida com todos $00

CARNE

— Cozido à portuguesa $00
— Coelho à Caçador $00
— Feijoada à transmontana $00
— Arroz de frango de cabidela $00
— Cabrito assado no forno do padeiro $00
— Escalopes de vitela grelhados com batatas fritas $00

SOBREMESAS

• Arroz-doce	....$00	• Tarte de maçã	....$00	• Queijo da Serra	....$00
• Leite-creme.	....$00	• Bolo de noz	....$00	• Fruta da época	P.V.

Oralidade 2

A

— Então, nunca mais te decides?
— Não sei o que é que hei-de comer ...
— Olha, não queres dividir comigo ________________
________________ e depois ________________?
— É isso mesmo. E para entrada quero ________________.
— Eu não! Quero é ________________.

B

— Os senhores já escolheram?
— Sim, sim. Para entrada era ________________,
________________ e ________________ e estes senhores vão dividir
________________ e ________________.
— Correcto. E para beber?
— Traga-nos a carta de vinhos, por favor.
— Com certeza.

C

— Então o que é que vai ser para sobremesa?
— Para mim, eu ________________.
— Eu prefiro ________________.
— Eu quero antes ________________.
— E depois queremos cinco cafés e três aguardentes, por favor.

Apresentação 2

Comparações	
Animal associado ao conceito	
bode	fealdade
burro	teimosia
cão	fidelidade
cobras	maldade
leão	valentia
lesma	lentidão
pato	ingenuidade
pavão	vaidade
raposa	esperteza
texugo	obesidade
touro	força

Oralidade 3

Exemplo:

> O Zeca devia fazer dieta, está gordo como um ***texugo.***

1. Ele pode não ser muito inteligente, mas é esperto como uma ________.
2. O meu irmão mais novo é terrível, é mau como as__________.
3. Não suporto aquele ar de importante do Dr. Marques, acho-o vaidoso como um ________.
4. Ninguém consegue fazê-lo mudar de ideias, é teimoso como um__________.
5. Ele acredita em tudo o que lhe dizem, é ingénuo como um __________.
6. Ele vencia todos os combates, porque era forte como um __________.
7. Ela é muito corajosa, é valente como um__________.
8. Ela não saiu nada à mãe, é feia como um __________.
9. Estou à tua espera há meia hora. És lento como uma__________.
10. Ele seguia-os por toda a parte, era-lhes fiel como um __________.

Oralidade 4

Exemplo:

> (tu) / gordo
> ***Estás cada vez mais gordo.***

1. você/magro

   ____

2. a comida/caro

   ____

3. ele/doente

   ____

4. os dias/frio

   ____

5. o trânsito/mau

   ____

6. ela/bonito

   ____

7. (tu)/preguiçoso

   ____

8. (nós)/cansado

   ____

9. as listas de candidatos às universidades/ /grande

   ____

10. as comunicações entre os países/bom

    ____

Oralidade 5

Exemplo:

> O Zeca era conhecido pelo «pote»
> ***Passava a vida a comer.*** *(comer)*

1. A Milú é hospedeira.

   ______________________________________ *(viajar)*

2. A Xana e o Quim eram os intelectuais do grupo.

   ______________________________ *(estudar)*

3. O Tó só queria andar com raparigas.

   ______________________________ *(namorar)*

4. A Milú e a Xana têm imensos amigos no estrangeiro.

   ______________________________ *(escrever cartas)*

5. O Zeca é uma pessoa muito divertida.

   ______________________________ *(contar anedotas)*

Oralidade 6

Pense noutras situações, com pessoas suas conhecidas, para aplicar a estrutura ***passar a vida a + infinitivo***.

Oralidade 7

Imagine qual a situação que deu origem à primeira frase.

1. Eles passam a vida a mudar de casa.

   ____

2. Ela passa a vida a falar ao telefone.

   ____

3. Ele passa a vida a beber.

   ____

4. Ela passa a vida a comprar livros.

   ____

5. O Tó passa a vida a fazer serões.

   ____

Texto

Conhecem-se desde pequenos. Foram criados no mesmo bairro e eram inseparáveis. Andaram juntos na escola primária e no liceu, mas, como quase sempre acontece, a vida acabou por separá-los. No entanto e porque querem manter os laços de amizade que desde sempre os uniram, encontram-se no último sábado de cada mês para fazerem uma jantarada.

Nome: José Carlos Marques de Oliveira
Diminutivo: Zeca
Profissão: Empregado bancário
Data de nascimento: 5 de Outubro de 1960
Signo: Balança
Passatempo: Fazer petiscos e comê-los.
Maneira de ser: Divertido, bem-disposto, um pouco preguiçoso e desmazelado.

Nome: António Alves Rodrigues
Diminutivo: Tó
Profissão: Delegado de informação médica
Data de nascimento: 10 de Junho de 1962
Signo: Gémeos
Passatempo: Viajar e praticar desporto.
Maneira de ser: Dominador, extrovertido e um tanto trocista.

Nome: Maria Luísa dos Santos Pereira
Diminutivo: Milú
Profissão: Hospedeira
Data de nascimento: 18 de Março de 1962
Signo: Peixes
Passatempo: Astrologia
Maneira de ser: Comunicativa, sociável, supersticiosa e muito gastadora.

Nome: Joaquim Manuel Antunes Martins
Diminutivo: Quim
Profissão: Professor de Educação Física
Data de nascimento: 9 de Agosto de 1961
Signo: Leão
Passatempo: Teatro. É actor amador.
Maneira de ser: Dinâmico, explosivo, autoritário e por vezes arrogante.

Nome: Maria Alexandra Silva Nunes
Diminutivo: Xana
Profissão: Arquitecta
Data de nascimento: 21 de Novembro de 1962
Signo: Escorpião
Passatempo: Pintura
Maneira de ser: Descontraída, prestável no que diz respeito a ajudar os amigos íntimos.

— Vamos lá escrever!

Escrita 1

Preencha uma das fichas seguintes com os seus dados e a outra com os dados de um amigo seu.

Nome: ______________________
Diminutivo: ______________________
Profissão: ______________________
Data de nascimento: ______________________
Signo: ______________________
Passatempo: ______________________
Maneira de ser: ______________________

Nome: ______________________
Diminutivo: ______________________
Profissão: ______________________
Data de nascimento: ______________________
Signo: ______________________
Passatempo: ______________________
Maneira de ser: ______________________

Escrita 2

Em que é que você e o seu amigo diferem quanto à maneira de ser?
Faça uma mini-composição sobre esse tema.

Escrita 3

O significado de algumas palavras que aparecem no texto é dado a seguir.
Identifique essas palavras e coloque-as nos respectivos lugares.

1. ____________com quem se pode tratar; dado.
2. ____________que comunica facilmente; expansivo.
3. ____________que dispõe bem; alegre, contente.
4. ____________mandrião; indolente.
5. ____________desleixado; negligente.
6. ____________arrojado; activo.
7. ____________aquele que gasta de mais; perdulário.
8. ____________aquele que está sempre pronto a ajudar os outros.
9. ____________aquele que faz troça; brincalhão.
10. ____________aquele que se considera superior aos outros; altivo.

Escrita 4

Dos adjectivos que foram usados na secção Texto, seleccione os que considera positivos — qualidades — e os que considera negativos — defeitos.
Justifique a sua escolha.

Qualidades	Defeitos

Sumário

Objectivos funcionais

Dar informações de carácter pessoal	(Ver texto pág. 14)
Emitir um juízo de valor	«Estás cada vez mais gordo.»
Falar de acções repetitivas	«Passava a vida a comer.» «Ela passa a vida a falar ao telefone.»
Fazer comparações	«Estás gordo como um texugo.»

Vocabulário

Substantivos e adjectivos

activo (adj.)
o actor
a aguardente
altivo (adj.)
a amêijoa
a amizade
arrogante (adj.)
arrojado (adj.)
a astrologia
autoritário (adj.)
Balança
bem-disposto (adj.)
o bode
brincalhão (adj.)
o burro
calculista (adj.)
a caldeirada
o candidato
a canja de galinha
o carapauzinho
a carta de vinhos
a cobra
o coelho
o combate

a comunicação
comunicativo (adj.)
o cozido à portuguesa
o creme de camarão
o delegado de informação médica
desleixado (adj.)
desmazelado (adj.)
o diminutivo
dinâmico (adj.)
dominador (adj.)
a Educação Física
as entradas
Escorpião
a esperteza
expansivo (adj.)
explosivo (adj.)
extrovertido (adj.)
a fealdade
a feijoada
a fidelidade

fiel (adj.)
gastador (adj.)
Gémeos
a hospedeira
indolente (adj.)
a ingenuidade
ingénuo (adj.)
intelectual (adj.)
a jantarada
o laço
o leão
Leão
o leite-creme
a lentidão
lento (adj.)
a lesma
a lula
a maldade
mandrião (adj.)
a maneira de ser
o melão
a noz
negligente (adj.)
a obesidade

o pato
o pavão
Peixes
perdulário (adj.)
o petisco
o pote
preguiçoso (adj.)
prestável (adj.)
a raposa
o refrigerante
o signo
sociável (adj.)
a sopa
supersticioso (adj.)
a tarte de maçã
a teimosia
teimoso (adj.)
terrível (adj.)
trocista (adj.)
a vaidade
vaidoso (adj.)

Expressões:

A propósito
contar anedotas
deixar em paz
estar na berlinda
fazer dieta
fazer troça
passar a vida a
P.V. (preço variável)

Verbos:

comunicar
emagrecer
separar
suportar
unir

UNIDADE 2

«...e é bom que defenda os seus interesses (...)»

Áreas gramaticais/Estruturas

Presente do conjuntivo:	**verbos regulares em - ar, - er** e **- ir**
Presente do conjuntivo com	**expressões impessoais, conjunções e locuções**

Advérbios: **matematicamente, possivelmente, profissionalmente, totalmente.**

Diálogo

Milú: «... e é bom que defenda os seus interesses, embora deva olhar a meios para atingir os fins.»
Xana: O que é que estás a fazer, Milú?
Milú: Estou a ler o meu horóscopo para esta semana.
Xana: Lá estás tu a consultar os astros.
Milú: Estás sempre a gozar comigo, mas olha que a astrologia é uma ciência precisa, que tem as suas regras e medidas e, embora tenha uma parte subjectiva, esta é diminuta.
Xana: E qual é então a parte subjectiva?
Milú: É o papel do astrólogo na interpretação de um tema. Aí ele é intuitivo, inspirado, subjectivo e influenciador. Mas a base, o horóscopo, é um elemento matematicamente exacto.
Xana: Queres convencer-me de que ele pode predizer o futuro?
Milú: De forma alguma! A astrologia informa e aconselha, mas nada prediz.

— Vamos lá falar!

Oralidade 1

Exemplo: Estás sempre a consultar os astros!
Lá estás tu a consultar os astros!

1. Vocês estão sempre a gozar comigo.
2. Vocês estão sempre a discutir.
3. Estamos sempre em desacordo.
4. Estás sempre a dizer mal de tudo.
5. Você está sempre a filosofar.
6. Vocês estão sempre cheios de pressa.
7. Estás sempre a pôr defeitos nas pessoas.
8. Estás sempre a dizer disparates.
9. Você está sempre a fazer palavras-cruzadas.
10. Vocês estão sempre a ver televisão.

Apresentação 1

Presente do conjuntivo
•Forma-se a partir da 1.ª pessoa do singular do presente do indicativo a que se retira a desinência ***-o*** e se acrescenta a desinência ***-e*** para os verbos em ***-ar*** e ***-a*** para os verbos em ***-er*** e ***-ir.*** •Indica um facto presente ou futuro.

A

	1.ª pessoa do singular	
Infinitivo	**Pres. do indicativo**	**Pres. do conjuntivo**
fal***ar***	fal***o***	fal***e***
l***er***	lei***o***	lei***a***
ouv***ir***	ouç***o***	ouç***a***

B

	Presente do conjuntivo	
	-ar	***-er*** e ***-ir***
(eu)	fal ***e***	beb ***a***
(tu)	lev ***es***	ouç ***as***
(você, ele, ela)	par ***e***	durm ***a***
(nós)	trabalh ***emos***	tenh ***amos***
(vocês, eles, elas)	cham ***em***	lei ***am***

C

Presente do conjuntivo	
Orações subordinadas	
Emprego	Casos
•Introduzido por determinadas expressões impessoais	É bom que (1) É importante que (2) É possível que (3) É preciso que (4) É provável que (5) ...
•Regido por determinadas conjunções/locuções	antes que (6) caso (7) embora (8) mesmo que (9) para que (10) ...

Oralidade 2

1. É bom que **chegues** a horas, senão não apanhas boleia.
2. É importante que **terminem** o trabalho até sexta-feira.
3. Vou levar a gabardina, porque é possível que **chova**.
4. Para se candidatarem ao lugar no banco, é preciso que **façam** testes psicotécnicos.
5. É provável que, depois de trabalhar tanto, ele **fique** cansado.
6. Vamos comprar os bilhetes para o concerto antes que se **esgotem**.
7. Caso **tenhas** tempo, vem falar comigo amanhã.
8. Embora não se **encontrem** muitas vezes, continuam bons amigos.
9. Mesmo que agora **digas** a verdade, já não acredito em ti.
10. Vou chegar mais cedo para que **possamos** ir ao teatro.

Oralidade 3

Exemplo: (*ter cuidado*) É melhor que você ***tenha cuidado.***

1. (*gastar menos*) É melhor que ela ____________________
2. (*ouvir*) É bom que eles me ____________________
3. (*pagar em cheque*) É aconselhável que vocês ____________________
4. (*comer tanto*) É necessário que ele não ____________________
5. (*chegar cedo*) É preciso que eles ____________________
6. (*começar mais tarde*) É possível que a reunião ____________________
7. (*deixar o número de telefone*) Convém que o senhor ____________________
8. (*ficar cansado*) É provável que ela ____________________
9. (*ler o artigo todo*) É bom que tu ____________________
10. (*ver o Zeca hoje*) É provável que eu ____________________
11. (*vir cá à tarde*) Convém que vocês ____________________
12. (*pedir autorização ao chefe*) Basta que você____________________
13. (*trazer uma amiga*) É possível que ele ____________________
14. (*falar mais baixo*) Convém que tu ____________________
15. (*seguir as instruções*) Basta que você ____________________

Oralidade 4

Exemplo: Vamos treinar lá para fora, mesmo que ***chova*** (*chover*).

1 Caso a senhora não ____________(*poder*) vir, telefone a avisar.
2. Embora eles ______(*viver*) bem, não gostam de dar muito dinheiro aos filhos.
3. Vou falar com a Xana, mesmo que ela não me _________ (*ouvir*).
4. Prova este bolo antes que _________(*acabar*).
5. Para que vocês ____________ (*conseguir*) traduzir o texto, precisam de um bom dicionário.

Texto

Carneiro
21/3 a 20/4

Poderá agora fazer valer os seus pontos de vista junto do seu companheiro e isso será decisivo para uma relação mais feliz. Tendência a açambarcar o mundo com as duas mãos, mas também lhe é difícil viver sem responsabilidades. Saúde boa.

Touro
21/4 a 21/5

Ambiente familiar com bons momentos, devido a decisões acertadas. Evite discussões e converse mais com os seus filhos. É provável que tenha alguns contratempos nos negócios e no plano profissional. Aproveite, no entanto, o excelente clima financeiro. Cuidado com o tabaco.

Gémeos
22/5 a 21/6

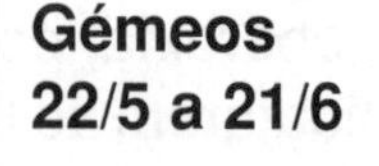

Recomeçará uma velha amizade que lhe proporcionará momentos muito agradáveis. Poderá encontrar competição no campo romântico. Possibilidades de ganhos e de trabalho produtivo. Período benéfico para a actividade profissional. Vá ao médico.

Caranguejo
22/6 a 22/7

Período muito favorável, talvez ligado a alguém que conheceu numa reunião. Relações pessoais numa fase muito positiva. Algumas surpresas agradáveis no plano profissional, que irão ter grande influência na sua vida futura. Pratique exercício físico.

Leão
23/7 a 23/8

É possível que durante esta semana tenha muitas actividades sociais, principalmente receber amigos. Um antigo investimento irá dar agora os seus lucros. Pode pôr em prática planos de longa data e contar com o êxito. Problemas de fígado.

Virgem
24/8 a 23/9

Embora o período não se apresente totalmente desfavorável, deve ter cuidado, pois estará sob influência de ilusões perigosas. Boas relações profissionais com chefes e colaboradores. Domínio financeiro em bom período. Saúde instável.

Balança
24/9 a 23/10

Uma amizade muito especial começa agora a assumir contornos mais definidos, verificando também que vale a pena ser paciente. Momento bastante propício para investir. Por isso deve aproveitar os primeiros dias para tomar decisões sobre assuntos delicados. Não faça esforços.

Escorpião
24/10 a 22/11

As relações com a pessoa amada encontram-se numa fase de ajuda mútua: os problemas serão resolvidos em colaboração. No sector profissional, grandes facilidades desde que não abuse nas suas acções e ambições. Saúde sem complicações.

Sagitário
23/11 a 22/12

Clima sentimental excelente, o que lhe permitirá fazer projectos para o futuro. Grande harmonia também no plano familiar. Enfrente os problemas de trabalho com a coragem que o caracteriza e conseguirá certamente vencer esta batalha. Seja resoluto. Boa forma física.

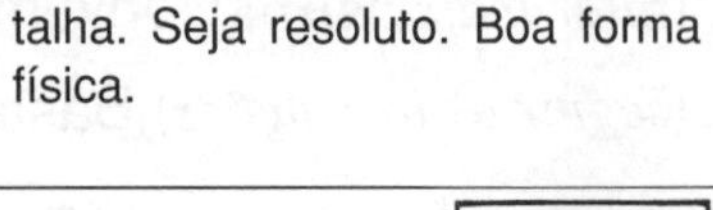

Capricórnio
22/12 a 20/1

Não insista em aproximar-se de quem não gosta de si. Mais prudência e menos audácia. O trabalho ocupará todo o seu tempo e pensamentos. Sorte nos negócios. O seu dinamismo e valor serão reconhecidos. Cuidado com as constipações.

Aquário
21/1 a 19/2

Bom clima familiar, embora deva dar mais atenção aos seus filhos. Coloque em prática uma antiga decisão. Profissionalmente esta será uma semana neutra. Examine os negócios em andamento. Não assine documentos. Saúde um pouco debilitada.

Peixes
20/2 a 20/3

Âmbito sentimental bastante confuso. Tudo contribuirá para lhe dar uma sensação de instabilidade emocional. Procure descontrair-se. Dedique-se com bastante empenho à sua vida profissional. Algumas dificuldades financeiras. Possíveis dores de cabeça.

— Vamos lá escrever!

Escrita 1

Explique o sentido das seguintes palavras/expressões retiradas do texto.

1. **Carneiro**

pontos de vista ____________________

junto do ____________________

açambarcar o mundo ____________________

2. **Touro**

ambiente ____________________

contratempos ____________________

clima ____________________

3. **Gémeos**

ganhos ____________________

4. **Caranguejo**

período ____________________

fase ____________________

5. **Leão**

de longa data ____________________

6. **Balança**
propício ____________________

7. **Sagitário**
resoluto ____________________

8. **Aquário**
em andamento ____________________
debilitada ____________________

9. **Peixes**
âmbito ____________________
empenho ____________________

Escrita 2

Transforme as frases seguintes de maneira a usar expressões impessoais seguidas do verbo no presente do conjuntivo. Não altere o sentido das frases.

1. Provavelmente terá alguns contratempos.
____
2. Possibilidades de muitos ganhos com o seu negócio.
____
3. Necessidade de tomar uma decisão familiar.
____
4. Possivelmente conseguirá concretizar todos os seus projectos.
____
5. Necessita de fazer dieta.
____

6. Provavelmente sentirá uma certa insegurança.

____

7. Precisa de descansar mais e vigiar a alimentação.

____

8. Possivelmente receberá uma carta ou um telefonema importante.

____

9. Possibilidades de subir na vida.

____

10. Precisa de investir melhor o seu dinheiro.

____

Escrita 3

Em grupos de 2 a 3 alunos, analise e compare os seguintes horóscopos, no que diz respeito, no grupo A, à afectividade, no grupo B, ao trabalho e no grupo C, à saúde.

Depois do debate, escreva duas ou três linhas para cada grupo sobre as conclusões a que chegaram.

A

Horóscopos	Afectividade
Carneiro	_______________
Caranguejo	_______________
Balança	_______________
Capricórnio	_______________

B

Horóscopos	Trabalho
Touro	_______________
Leão	_______________
Escorpião	_______________
Aquário	_______________

C

Horóscopos	Saúde
Gémeos	_______________
Virgem	_______________
Sagitário	_______________
Peixes	_______________

Sumário

Objectivos funcionais

Falar de acções repetitivas	«Lá estás tu a consultar os astros.»
Falar de acções eventuais	«...e é bom que defenda os seus interesses(...)» «Caso tenhas tempo, vem falar comigo amanhã.»

Vocabulário

Substantivos e adjectivos:

acertado (adj.)
a afectividade
amado (adj.)
a ambição
Aquário
o astro
a audácia
Balança
a base
a batalha
benéfico (adj.)
Capricórnio
Caranguejo
Carneiro
o chefe
o colaborador
o companheiro
a competição
a complicação
confuso (adj.)
o contorno
o contratempo

debilitado (adj.)
a decisão
decisivo (adj.)
definido (adj.)
o desacordo
desfavorável (adj.)
diminuto (adj.)
o dinamismo
a discussão
o disparate
o domínio
emocional (adj.)
o empenho
Escorpião
o esforço
especial (adj.)
exacto (adj.)
excelente (adj.)
favorável (adj.)
o fígado
financeiro (adj.)

o ganho
Gémeos
a harmonia
o horóscopo
a ilusão
influenciador (adj.)
a insegurança
inspirado (adj.)
a instabilidade
instável (adj.)
a interpretação
intuitivo (adj.)
o investimento
Leão
o lucro
a medida
mútuo (adj.)
o negócio
neutro (adj.)
paciente (adj.)
Peixes

o pensamento positivo (adj.)
a prática
produtivo (adj.)
profissional (adj.)
propício (adj.)
a prudência
reconhecido (adj.)
a regra
resoluto (adj.)
romântico (adj.)
Sagitário
o sector
sentimental (adj.)
subjectivo (adj.)
a tendência
o teste psicotécnico
Touro
Virgem

Expressões:

De forma alguma!
estar em desacordo
fazer esforço

fazer valer o ponto de vista

olhar a meios para atingir os fins
pôr em prática

subir na vida
tomar decisões

Verbos:

abusar	caracterizar	descontrair-se	permitir
açambarcar	colocar	esgotar	predizer
apresentar-se	concretizar	examinar	proporcionar
assumir	contribuir	filosofar	recomeçar
bastar	convencer	insistir	vencer
candidatar-se (a)	convir	necessitar	vigiar

UNIDADE 3

«(...) embora sejam bem remunerados (...)»

Áreas gramaticais/Estruturas

Presente do conjuntivo: **verbos irregulares**

Presente do conjuntivo com **verbos de desejo, ordem, dúvida, sentimento**

Advérbios: **estritamente**

Diálogo

Quim: O que é que te aconteceu? Estás cá com uma cara!
Tó: Não é caso para menos. Estive a tarde toda no consultório do Dr. Medeiros para falar com ele e ele nem apareceu. Foi tempo perdido.
Quim: Ossos do ofício, meu caro. Vocês, delegados de informação médica, embora sejam bem remunerados, têm por vezes contratempos desses. E logo com médicos... que raramente chegam a horas.
Tó: O que não deixa de ser uma falta de consideração. Ao menos podia ter telefonado a avisar.
Quim: Parece-me que seria mais fácil ao contrário: telefonas e marcas tu uma hora para seres recebido.
Tó: És capaz de ter razão. Mas, mesmo assim, duvido que não tenha de esperar. Se há coisa que eu detesto é esperar.
Quim: No entanto, é bom que não esqueças que o médico é que é o cliente.

— Vamos lá falar!

Apresentação 1

A

	Presente do conjuntivo						
	Formação irregular						
	dar	estar	haver	ir	querer	saber	ser
(eu) (tu) (você, ele,ela) (nós) (vocês, eles, elas)	dê dês dê dêmos dêem	esteja estejas esteja estejamos estejam	 haja 	vá vás vá vamos vão	queira queiras queira queiramos queiram	saiba saibas saiba saibamos saibam	seja sejas seja sejamos sejam

B

Presente do conjuntivo	
Orações subordinadas	
Emprego	Casos
Introduzidos por verbos de: • desejo • ordem • dúvida • sentimento ...	 esperar pedir duvidar lamentar ...

Oralidade 1

1. Espero que tenha uma boa viagem.
2. Lamentamos que não possam vir.
3. Tenho imensa pena que não jante connosco.
4. Agradeço que me mande os catálogos pelo correio.
5. Só desejo que vocês se divirtam.
6. Duvido que o médico já esteja no consultório.
7. Prefiro que me telefone primeiro.
8. O que é que quer que eu faça?
9. Tenho medo que eles se percam.
10. Peço que ouçam com atenção o que vou dizer.

Oralidade 2

Exemplo: *(estar em casa)* — Eu duvido que ele já ***esteja em casa.***

1. *(esquecer o que aconteceu)* — Eles preferem que eu ______
2. *(fazer barulho)* — Receio que vocês ______
3. *(dar resultado)* — Espero que ______
4. *(apanhar um táxi)* — Duvido que a estas horas ela ______
5. *(contar tudo)* — Quero que tu me ______
6. *(estar melhor)* — Espero que a sua mulher ______
7. *(chegar a horas)* — Exijo que vocês ______
8. *(saber a resposta)* — Duvido que tu ______
9. *(poder ficar até ao fim)* — Tenho pena que você não ______
10. *(sentir-se bem)* — Queremos que os senhores ______

Oralidade 3

Exemplo:
— Achas que eles aceitam o convite?
— Receio que não ***aceitem.***

1. — Achas que eles sabem o caminho?
   — Espero que ______.
2. — Achas que ela se lembra de mim?
   — Duvido que se ______.
3. — Achas que há algum problema?
   — Espero que não ______.
4. — Achas que concordam com a nossa proposta?
   — Receio que não ______.
5. — Achas que ele está em casa a esta hora?
   — Duvido que ______.
6. — Achas que ele é de confiança?
   — Espero que ______.

Oralidade 4

Exemplo:

É bom virem cedo.
É bom que ***venham*** cedo.

1. É melhor o senhor telefonar primeiro.
   É melhor que o senhor ______________________.
2. É provável seres tu o escolhido.
   É provável que ______________________.
3. Vamos embora antes do João chegar.
   Vamos embora antes que o João ______________________.
4. No caso de querer inscrever-se, tem de fazê-lo até amanhã.
   Caso ______________________.
5. É pena não poder vir connosco, Milú.
   É pena que não ______________________.
6. É bem possível ela não saber o que aconteceu.
   É bem possível que ela não ______________________.
7. Despachem-se para não perdermos o princípio do filme.
   Despachem-se para que não ______________________.
8. É preciso ires à embaixada pedir o visto.
   É preciso que ______________________.
9. Fico à espera até haver uma vaga.
   Fico à espera até que ______________________.
10. É importante darem atenção ao que vou dizer.
    É importante que ______________________.

Oralidade 5

Exemplo:

— Eles falaram-te?
— Não ***falaram***, nem quero que me ***falem.***

1. — Ele viu-te?
   — Não ______________, nem quero que me ______________.
2. — Ela escreveu-lhe?
   — Não ______________, nem quero que me ______________.
3. — Eles encontraram-te?
   — Não ______________, nem quero que me ______________.
4. — Ele contou-te o que se passou?
   — Não ______________, nem quero que me ______________.
5. — O empregado disse-te o preço?
   — Não ______________, nem quero que me ______________.

Texto

Trabalhar com um líder mundial

ZONA NORTE

Delegados de Informação Médica

(m/f)

Somos um laboratório internacional de grande prestígio — estamos implantados em 120 países — produzindo uma vasta gama de produtos farmacêuticos. Na actual fase de crescimento da filial portuguesa vamos contratar dois DELEGADOS.

Com uma função diversificada, que se espera que seja desempenhada com eficiência, o Delegado faz visitas médicas, informa sobre os produtos do laboratório, promove a sua penetração no mercado e presta uma série de serviços especializados à classe médica.

Caso possua formação académica secundária, idade compreendida entre os 22 e os 30 anos, carta de condução, e experiência de vendas e/ou de promoção nos sectores farmacêutico ou hospitalar,

CONTACTE-NOS

Temos para lhe oferecer condições de trabalho motivantes, um bom plano remuneratório, regalias sociais, incluindo carro para uso total.

Agradecemos que envie carta manuscrita, acompanhada de C. V. e fotografia recente ao n.º 2960 deste Jornal.

Tratamento estritamente confidencial.
Resposta a todas as candidaturas.

EMPRESA FARMACÊUTICA
ADMITE
DELEGADOS/AS INFORMAÇÃO MÉDICA

ALGARVE

OFERECE-SE:

- Lugar estável em Empresa sólida.
- Perspectivas de carreira.
- Remuneração aliciante em função da experiência.
- Viatura da Empresa para uso total.

PERFIL REQUERIDO:

- Idade abaixo dos 30 anos.
- Dinamismo e ambição.
- Habilitações mínimas: 12.º ano, dando-se preferência a candidatos com frequência do curso de Medicina, Farmácia ou Biologia.
- Experiência anterior na função será factor de preferência.
- Disponibilidade para viajar.
- Carta de condução há mais de um ano.

Resposta manuscrita, com «Curriculum Vitae» detalhado ao n.º 5093 deste Jornal.

— Vamos lá escrever!

Escrita 1

Explique, por palavras suas, as seguintes expressões.

1.º anúncio

1. de grande prestígio ____________________
2. uma vasta gama ____________________
3. penetração no mercado ____________________
4. bom plano remuneratório ____________________
5. regalias sociais ____________________
6. tratamento estritamente confidencial ____________________
7. resposta a todas as candidaturas ____________________

2.º anúncio

1. lugar estável ____________________
2. empresa sólida ____________________
3. perspectivas de carreira ____________________
4. remuneração aliciante ____________________
5. disponibilidade para viajar ____________________

Escrita 2

Analise e compare os dois anúncios. Depois preencha o quadro seguinte de maneira sucinta.

	Tipo de empresa	Zona de actuação	Perfil do candidato/a (maneira de ser)	Idade	Habilitações	Experiência anterior	Remuneração	Condições de trabalho	Regalias
1.º Anúncio									
2.º Anúncio									

Escrita 3

Ligue as duas frases com a conjunção/locução dada. Faça as alterações necessárias.

Exemplo: Se tem o perfil pretendido, contacte-nos. *(caso)*
Caso tenha o perfil pretendido, contacte-nos.

1. O senhor tem um bom «curriculum», mas já não há vagas. *(embora)*

   ____

2. Lê o anúncio com atenção e depois responde por escrito. *(antes que)*

   ____

3. O ordenado é inferior, mas vou candidatar-me. *(mesmo que)*

   ____

4. Se vive no Algarve e quer um emprego aliciante, venha falar connosco. *(caso)*

   ____

5. Há sempre muitos anúncios nos jornais na secção «Emprego», mas a procura é superior à oferta. *(embora)*

   ____

Escrita 4

Imagine que você anda à procura de emprego, na área da informação médica, e até tem o perfil pretendido. Responda a um dos anúncios e comece como indicado:

Em resposta ao vosso anúncio, venho por este meio____

____

____

____

____

____

____

____

____

____

____

____

Com os meus melhores cumprimentos, subscrevo-me com elevada consideração.

Atentamente
(Assinatura)

Sumário

Objectivos funcionais

Expressar desejo	«Espero que tenha uma boa viagem.»
Expressar dúvida	«Duvido que o médico já esteja no consultório.»
Expressar ordem	«Exijo que vocês cheguem a horas.»
Expressar sentimentos	«Lamentamos que não possam vir.»

Vocabulário

Substantivos e adjectivos:

académico (adj.)	a disponibilidade	o laboratório	o remetente
a actuação	diversificado (adj.)	o líder	a remuneração
aliciante (adj.)	a eficiência	manuscrito (adj.)	remunerado (adj.)
a ambição	elevado (adj.)	a Medicina	remuneratório (adj.)
o anúncio	escrito (adj.)	médico (adj.)	a resposta
a assinatura	estável (adj.)	o medo	o resultado
a Biologia	Excelentíssimo	mínimo (adj.)	o sector
a candidatura	(Exmo) (adj.)	motivante (adj.)	secundário (adj.)
a classe	a experiência	norte (adj.)	sólido (adj.)
a confiança	farmacêutico (adj.)	a oferta	total (adj.)
confidencial (adj.)	a Farmácia	o ofício	o tratamento
a consideração	a filial	o ordenado	o uso
o crescimento	a frequência	o osso	a vaga
o «Curriculum Vitae»	a gama	a penetração	vasto (adj.)
(C. V.)	a habilitação	o perfil	a venda
o destinatário	hospitalar (adj.)	a perspectiva	a viatura
detalhado (adj.)	inferior (adj.)	o princípio	o visto
o dinamismo	internacional (adj.)	a procura	

Expressões:

dar preferência (a) dar resultado	em função de	ossos do ofício...	por escrito

Verbos:

acompanhar (de) avisar desempenhar	detestar duvidar implantar	produzir recear requerer	subscrever-se

UNIDADE 4

«Tomara que tenhas razão!»

Áreas gramaticais/Estruturas

Presente do conjuntivo com **frases dubitativas e exclamativas**

Conjugação perifrástica: **ir (P.P.S.) + infinitivo**

Advérbios: **fisicamente, inesperadamente, inicialmente, jamais**
Interjeições: **Chiu!**

Diálogo

Ricardo: Oxalá a gente consiga atingir os mínimos para os próximos Jogos Olímpicos.
Pedro: Eu não sei se consigo. Não tenho andado muito bem ultimamente. Mas espero que alguns de vocês façam boas marcas.
Ricardo: Talvez o Manuel seja o que está em melhor forma física.
Manuel: Tomara que tenhas razão!
Ricardo: E o João? Ainda não chegou?
Manuel: Já, já. Foi falar com o massagista. Tem um problema na perna esquerda. Parece que se lesionou nos últimos treinos. Talvez hoje não possa treinar.
Ricardo: Coitado! Deus queira que não seja nada de grave.
Pedro: Chiu! Vem aí o professor.
Quim: Então rapaziada? Estão todos a postos? Hoje vou fazê-los suar muito. Quero que saiam de cá com os melhores tempos de sempre. Vamos fazer primeiro uns exercícios de aquecimento.

— Vamos lá falar!

Apresentação 1

Presente do conjuntivo	
Orações absolutas ou principais	
Emprego	Casos
• Dubitativas, traduzindo probabilidade	Talvez
• Exclamativas, traduzindo desejo ou sentimento	Tomara que Oxalá Deus queira que Quem me dera que

Oralidade 1

Exemplo:
— Vais ao cinema amanhã?
— Talvez *vá.*

1. — Eles vêm ao treino?
   — Talvez ______________.
2. — O Quim está no ginásio?
   — Talvez ______________.

3. — A Xana saberá a que horas começa o espectáculo?

— Talvez ______________.

4. — Sempre queres um bilhete para o jogo?

— Talvez ______________.

5. — O professor dará aula no sábado?

— Talvez ______________.

6. — Consegues bater o recorde?

— Talvez ______________.

7. — Vês a Milú hoje à noite?

— Talvez ______________.

8. — Haverá trânsito a esta hora?

— Talvez ______________.

19. — Trazes o carro amanhã?

— Talvez ______________.

10. — Ainda ficas a treinar?

— Talvez ______________.

Oralidade 2

Exemplo:

— Temos trabalhado tanto.
— Oxalá a gente ***consiga*** os mínimos! *(conseguir)*

1. — Ele fez uma lesão.

— Deus queira que não ______________ grave! *(ser)*

2. — Estou cheia de frio.

— Oxalá não ______________! *(constipar-se)*

3. — Estás em boa forma física, Manel.

— Tomara que ______________ razão! *(ter)*

4. — Vamos treinar ao ar livre.

— Quem me dera que não ______________! *(chover)*

5. — Para a semana são as provas finais.

   — Oxalá ____________ tudo bem! *(correr)*

6. — Eles foram pedir um aumento de ordenado.

   — Quem me dera que ________________ certo! *(dar)*

7. — Temos os campeonatos nacionais à porta.

   — Deus queira que nós ____________ apurados! *(ser)*

8. — Vamos todos à festa.

   — Oxalá ____________! *(divertir-se)*

9. — Eles ainda não chegaram?

   — Tomara que não ____________ muito! *(atrasar-se)*

10. — Ela foi para casa sozinha e a estas horas da noite.

    — Deus queira que não lhe ________________ nada! *(acontecer)*

Apresentação 2

Intenção/finalidade
ir (P.P.S.) + infinitivo
• Indica movimento (já iniciado) em direcção a determinado fim.

Oralidade 3

1. — Sabes do Zeca?
   — **Foi comprar** o jornal.
2. — Onde é que eles estão?
   — **Foram treinar** lá para fora.

Oralidade 4

Exemplo:

— Porque é que ele se está a demorar tanto? *(ver/treinos)*
— ***Foi ver os treinos.***

1. — Porque é que eles ainda não chegaram?

   — ______________________________ *(comprar/bilhetes)*

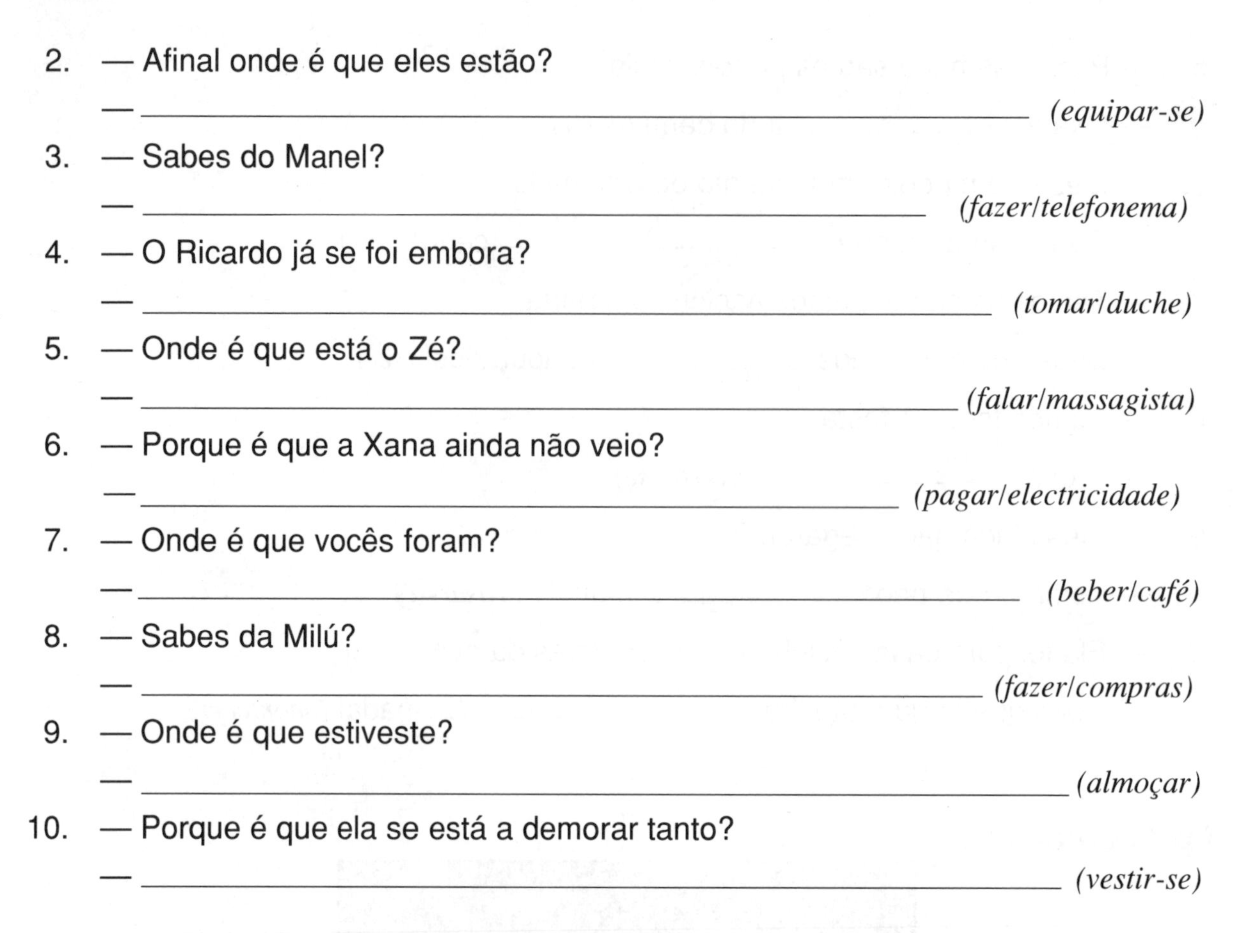

2. — Afinal onde é que eles estão?
   — ______________________________ *(equipar-se)*
3. — Sabes do Manel?
   — ______________________________ *(fazer/telefonema)*
4. — O Ricardo já se foi embora?
   — ______________________________ *(tomar/duche)*
5. — Onde é que está o Zé?
   — ______________________________ *(falar/massagista)*
6. — Porque é que a Xana ainda não veio?
   — ______________________________ *(pagar/electricidade)*
7. — Onde é que vocês foram?
   — ______________________________ *(beber/café)*
8. — Sabes da Milú?
   — ______________________________ *(fazer/compras)*
9. — Onde é que estiveste?
   — ______________________________ *(almoçar)*
10. — Porque é que ela se está a demorar tanto?
   — ______________________________ *(vestir-se)*

Texto

Tudo começou a 12 de Setembro de 1982. Rosa Mota, então uma simples corredora portuguesa que tinha conseguido mínimos para participar nos 3. 000 metros dos Campeonatos da Europa de Atenas, resolve estrear-se na maratona.

Num dia de bastante calor, num percurso histórico mas difícil, ela foi inesperadamente a vencedora. Tinha ganho a primeira maratona feminina jamais realizada em grandes competições internacionais. A partir daí, toda a sua vida mudou. Seguiram-se triunfos ainda mais retumbantes: Jogos Olímpicos, Campeonatos do Mundo e todas as maratonas importantes constam do palmarés da atleta.

A «menina da Foz», como inicialmente era conhecida, passou a ser a «nossa Rosinha». Portuguesa, pequenina, simples, ela passou a ser por todos acarinhada, irradiando simpatia sem ter de, para isso, despender qualquer esforço.

Nome: Rosa Mota
Naturalidade: Foz, Porto
Data de Nascimento: 29/06/58
Clube: C.A.P.
Peso: 44 Kg
Altura: 1,57 m
Títulos: Campeã Olímpica
Campeã Mundial
Tricampeã Europeia

— Vamos lá escrever!

Escrita 1

Explique as seguintes palavras/expressões retiradas do texto.

1. (...) resolve estrear-se na maratona.__________

2. (...) a primeira maratona feminina jamais realizada (...)__________

3. (...) triunfos (...) retumbantes__________

4. palmarés__________

5. (...) por todos acarinhada (...)__________

6. (...) irradiando simpatia (...) ______________________________

____

7. (...) despender (...) esforço ______________________________

____

Escrita 2

Altere as seguintes frases sem lhes modificar o sentido. Comece como indicado.

1. Ela irradia simpatia sem ter de despender qualquer esforço.
   Ela irradia simpatia sem que ______________________________

2. É preciso conseguir os mínimos para poder participar nos campeonatos da Europa.
   É preciso que ______________________________
   para que ______________________________

3. A partir de 1982 toda a sua vida mudou. No entanto, ela continua a ser uma pessoa simples.
   A partir de 1982 toda a sua vida mudou, embora ______________________________
   ____

4. Apesar de ser pequenina, talvez a mais pequena de todas as maratonistas, ela é, sem dúvida, a maior de todas.
   Embora ______________________________
   ____

5. No caso de haver dúvidas, basta consultar o palmarés da atleta.
   Caso ______________________________ basta que ______________________________
   ____

Escrita 3

Complete o quadro com adjectivos e expressões que melhor definam a atleta Rosa Mota.

Rosa Mota	
Física e psicologicamente	Profissionalmente

Sumário

Objectivos funcionais

Dar informações de carácter pessoal	(ver ficha de identificação no texto, pág.41)
Expressar desejo	«Tomara que tenhas razão.» «Oxalá a gente consiga os mínimos.» «Deus queira que não seja grave.» «Quem me dera que dê certo.»
Expressar probabilidade	«Talvez o Manuel seja o que está em melhor forma física.»
Indicar intenção/finalidade	«Eles foram treinar lá para fora.»
Pedir para se calar	«Chiu!»

Vocabulário

Substantivos e adjectivos:

Atenas o C.A.P. (o Clube de Atletismo do Porto) o campeão o Campeonato do Mundo a competição	corredor o esforço a Foz o ginásio grave (adj.) os Jogos Olímpicos a lesão	a maratona o maratonista o massagista olímpico (adj.) o palmarés o percurso a rapaziada	o recorde retumbante (adj.) a simpatia o triunfo o vencedor

Expressões:

A partir daí atingir os mínimos	bater o recorde	dar certo	estar a postos

Verbos:

acarinhar constar (de)	despender equipar-se	irradiar lesionar-se	suar treinar

UNIDADE 5

«Por mais que tente, não consigo lembrar-me (...)»

Áreas gramaticais/Estruturas

Presente do conjuntivo com	**por mais que, por muito que, por pouco que...**
Pronomes pessoais complemento	**emprego enfático**

Advérbios:	**sobretudo, anteriormente**
Locuções adverbiais:	**de longe**
Locuções conjuncionais:	**assim que, uma vez que**

Diálogo

Zeca: Por mais que tente, não consigo lembrar-me do nome dos homens que andam por aí a vender a lotaria.

Tó: Olha, vem da palavra cautela que é a vigésima parte do bilhete inteiro e...

Quim: Está-se mesmo a ver que são os cauteleiros.

Zeca: É isso mesmo. Tinha a palavra debaixo da língua.

Quim: E por que é que não compramos antes um bilhete inteiro para a lotaria do Natal? Por muito caro que seja, sempre temos mais hipóteses de ficarmos ricos.

Zeca: Acho bem. Cada um de nós paga uma parte e quem sabe... Pode ser que nos saia a sorte grande.

Milú: Para que isso aconteça temos que comprar um bilhete que tenha o número sete: é o meu número da sorte.

Xana: Lá estás tu com as superstições! A mim nunca me sai nada. Tenho muito azar ao jogo.

— Vamos lá falar

Apresentação 1

A

Presente do conjuntivo	
Emprego	Casos
• Regido por determinadas locuções	Por mais que (1) Por muito que (2) Por pouco que (3) ....

Oralidade 1

1. Por mais que tente, não me lembro do nome dele.
2. Já não apanhas o comboio, por muito que corras.
3. Por pouco que o Zeca coma, não emagrece.

Oralidade 2

Exemplo: Por muito caro que ***seja,*** vou comprar um bilhete inteiro. *(ser)*

1. Por pouco que me ______________, não mudo de emprego. *(pagar)*

2. Por mais que ______________, não consigo chegar a horas. *(esforçar-se)*
3. Por maiores que ______________ as dificuldades, não desistirei. *(ser)*
4. Por mais que me ______________, não vou com vocês. *(pedir)*
5. Por muito cansada que ______________, vou continuar a trabalhar. *(estar)*
6. Por muito alto que ______________, não chegas ao tecto. *(ser)*
7. Por muito que ______________, já ninguém acredita nele. *(dizer)*
8. Não vão atingir os mínimos, por muito que ______________. *(treinar)*
9. Por muito que ______________, não atendas o telefone. *(tocar)*
10. Nunca tenho dinheiro, por mais que ______________. *(poupar)*

B

Presente do conjuntivo
Emprego
Usa-se o conjuntivo nas orações relativas cujo antecedente é indefinido ou indeterminado.

Oralidade 3

1. Temos que comprar um bilhete que tenha o número sete.
2. Não há ninguém que corra os cem metros em oito segundos.
3. Vamos para um lugar onde haja menos barulho.

Oralidade 4

Exemplo: Vou à Baixa procurar um vestido que me ***sirva.*** *(servir)*

1. Há alguém que ______________ arranjar esta máquina? *(saber)*
2. Quero comprar um carro que ______________ económico. *(ser)*
3. Precisamos de uma pessoa que ______________ disponibilidade para viajar. *(ter)*
4. Não conheço ninguém que ______________ tantas línguas como a Milú. *(falar)*
5. Ando à procura de uma casa que ______________ perto do centro. *(ficar)*

Oralidade 5

Exemplo:

— Tens um cigarro que me dês? *(dar)*
— Não fumo.

1. — Tens uma caneta que me ________________? *(emprestar)*
   — Toma lá.

2. — Compras-me um bolo que ________________ chocolate? *(ter)*
   — Claro.

3. — Há alguém que ________________ ao banco? *(ir)*
   — Vou eu.

4. — Não há ninguém que me ________________ uma informação? *(dar)*
   — Só um momento.

5. — Há alguma sala que ________________ livre? *(estar)*
   — A sala 6.

6. — Tem horas que me ________________? *(dizer)*
   — São 9:15.

Apresentação 2

Pronome pessoal complemento
Emprego enfático
• pronome pessoal complemento directo ou indirecto + • pronome pessoal complemento circunstancial precedido da preposição «**a**»

Oralidade 6

1. Convidaram-me a mim para a estreia.
2. Empresto-te o carro a ti.
3. A si,vão contactá-lo amanhã.
4. A nós, não nos disseram nada.
5. Conta-lhes a elas o que se passou.

Oralidade 7

Exemplo: A *mim*, não **me** peçam mais dinheiro.

1. A ____________, faço-**vos** um desconto.
2. Não **lhes** conto mais nada a ____________.
3. Vão dar-**te** a ____________ uma promoção.
4. A polícia retirou-**lhe** a carta a ____________.
5. A ____________, interessa-**nos** alguém com muita experiência.

Oralidade 8

Exemplo: **A si**, deram-*lhe* o quê?

1. Parece-______ **a mim** que eles têm razão.
2. **A ele,** vão aumentar-______ o ordenado.
3. **A vocês**, saiu-______ a lotaria?!
4. Convidaram- ______ **a ela** para a festa?
5. Levo-______ **a ti** a casa.

Oralidade 9

Dê a forma enfática das seguintes frases:

1. Empresto-te dinheiro.

   ____

2. Saiu-lhe a sorte grande.

   ____

3. Ofereceram-me flores.

   ____

4. Viram-na hoje no café.

   ____

5. Faço-vos esse favor.

   ____

Texto

O cauteleiro

É profissão que jamais acabará. É vê-los por aí, sobretudo pela Baixa, oferecendo fortunas a toda a gente.

— Quem é que se habilita à sorte grande?

— São 100 mil contos! Anda amanhã à roda!

Os cauteleiros apregoam assim pelas ruas de Lisboa, e um pouco por todo o país, e não há ninguém que não se sinta tentado a jogar na lotaria.

O amolador

Andam por aí, por essas ruas dos bairros populares. Com uma maquineta que funciona sobre motociclos e onde, com um pedal, o amolador produz a força necessária para fazer girar a roda e, assim, afia facas, navalhas e tesouras.

Também se encarregam de arranjar chapéus-de-chuva e loiça quebrada.

Anunciam-se de longe com o som de uma gaita de beiços, ao qual se segue o pregão, arrastado e sem harmonia:

— A...moladôôôôoooo...r!

O ardina

A profissão de vendedor de jornais — o ardina — começou com a publicação do «Diário de Notícias», a partir de 1 de Janeiro de 1865, uma vez que, anteriormente, não havia jornais diários à venda pelas ruas de Lisboa.

Garoto da rua, dormindo pelas escadas não longe da sede dos jornais, o ardina galgava Lisboa de lés a lés na ânsia de levar o jornal ao fim da cidade.

Hoje em dia, os ardinas vão para as bancas dos jornaleiros e, assim que chegam os jornais, põem-nos no saco e aí vão eles para o meio da rua, quase sempre junto aos semáforos, apregoando por entre os carros:

— Populaaaaaaar!

— Olha o Notíííííícias!

— Vamos lá escrever!

Escrita 1

Explique, por palavras suas, o sentido das seguintes expressões retiradas do texto.

O cauteleiro

1. (...) oferecendo fortunas (...) ____________________
2. (...) se habilita à sorte grande? ____________________
3. Anda amanhã à roda! ____________________

O amolador

1. Anunciam-se de longe com o som de uma gaita de beiços (...) ____________________
2. (...) o pregão arrastado e sem harmonia. ____________________

O ardina

1. (...) galgava Lisboa de lés a lés (...) ____________________
2. (...) na ânsia de levar o jornal ao fim da cidade. ____________________

Escrita 2

Defina sumariamente as três profissões a que o texto se refere.

1. Cauteleiro

____

2. Amolador

____

____

____

3. Ardina

____

____

____

B Nessas três profissões, constatou certamente que há algo em comum na maneira como se anunciam. O quê?

____

____

Escrita 3

Altere as frases seguintes, sem lhes modificar o sentido. Comece como indicado.

1. Não há ninguém que não se sinta tentado a jogar na lotaria.

   Toda a gente____

2. O amolador afia facas, navalhas e tesouras.

   Facas____

3. Ele toca a gaita para as pessoas o ouvirem.

   Ele toca a gaita para que____

4. Apesar de hoje a vida do ardina não ser tão dura como antigamente, ainda o vemos ao frio e à chuva, no Inverno, por essas ruas fora.

   Embora____

   ____

   ____

5. Quando o «Diário de Notícias» foi publicado pela primeira vez, apareceu uma nova profissão.

   Ao____

   ____

Sumário

Objectivos funcionais

Dar ênfase	«A mim nunca me sai nada.»
Falar de acções eventuais que independentemente da vontade, não se concretizam	«Por mais que tente, não consigo lembrar-me do nome (...)»

Vocabulário

Substantivos e adjectivos:

o amolador	a gaita de beiços	a navalha	a sede
a ânsia	o garoto	o Notícias (o «Diário de Notícias»)	o segundo
o ardina	a harmonia	o pedal	o semáforo
arrastado (adj.)	a hipótese	o Popular (o «Diário Popular»)	a sorte grande
a cautela	o jornaleiro	o pregão	a superstição
o cauteleiro	a lotaria	a publicação	o tecto
o desconto	a máquina	quebrado (adj.)	a tesoura
o «Diário de Notícias»	a maquineta	a roda	
económico (adj.)	o meio		
	o motociclo		

Expressões:

de lés a lés	hoje em dia	ter a palavra debaixo da língua	
fazer um desconto	sair a lotaria		

Verbos:

acreditar (em)	continuar	esforçar-se	interessar
afiar	desistir	galgar	poupar
anunciar-se	emagrecer	girar	retirar
apregoar	encarregar-se (de)	habilitar-se	

REVISÃO 1/5

I — Presente do indicativo ou do conjuntivo?

1. Ele hoje não ____________________ *(vir)* trabalhar, porque ____________________ *(estar)* doente.

2. A Milú não ____________________ *(engordar)*, embora ____________________ *(comer)* muitos doces.

3. O Zeca não ____________________ *(conseguir)* emagrecer, pois nunca ____________________ *(fazer)* dieta.

4. O Tó talvez ____________________ *(ser)* um tanto arrogante, mas ____________________ *(ser)*, sem dúvida, um bom profissional.

5. Eu não ____________________ *(acreditar)* na Astrologia, mas é possível que a Milú ____________________ *(ter)* razão.

II — Complete o quadro.

Verbo	Substantivo	Adjectivo
	a gordura	
	a magreza	
cuidar		
		produtivo
		esforçado
ansiar		
		chuvoso
	o gasto	
surpreender		
diferir		

III — Altere as seguintes frases sem lhes modificar o sentido. Comece como indicado.

1. Ele é um bom profissional, mas nunca chega a horas.

   Embora nunca ____________________

2. Apesar de ter um bom «curriculum», o João não conseguiu o lugar.

   Embora ____________________

3. No caso de haver algum contratempo, telefonem-me.

   Caso ____________________

4. O senhor abre uma conta no nosso banco e damos-lhe logo o cartão de crédito.

   Logo que ____________________

5. Sem falar primeiro com o Zeca, não quero tomar qualquer decisão.

   Sem que ____________________

6. Até receberem novas instruções, continuem a fazer esses exercícios.

   Até que ____________________

7. És capaz de ter razão, mas eu não estou convencida.

   Talvez ____________________

8. Possivelmente vemos o Ricardo este sábado nos treinos.

   É possível que ____________________

9. Provavelmente eles querem ficar em casa esta noite.

   É provável que ____________________

10. Se calhar vocês já sabem o que se passou.

    Talvez ____________________

IV — Preencha os espaços em branco com as profissões listadas.

Bancário /	Delegado de Informação Médica	/	Hospedeira
Arquitecta /	Professor de Educação Física	/	Cauteleiro
Ardina /	Amolador /	Treinador /	Massagista

1. Chama-me ali o ____________ porque quero comprar o «Diário Popular».

2. Hoje, no café, andava lá um ______________ e resolvi jogar na lotaria.

3. Tenho de ir falar com o ______________ porque não me sinto melhor da minha lesão.

4. Tomara que apareça por aí o ______________ . As minhas facas estão todas a precisar de ser afiadas.

5. Vamos falar com o ______________ para ver se ele consegue que melhoremos os nossos tempos.

6. Se vais modificar a tua sala porque é que não pedes a opinião de uma ______________ ?

7. O Quim sempre adorou o desporto. É ______________ e dá aulas numa escola secundária.

8. Embora raramente esteja doente, o Tó passa a vida a visitar médicos. É que ele é ______________.

9. Vou mandar os miúdos de avião sozinhos. Vão ao cuidado da ______________.

10. Ele agora é ______________. Respondeu a um anúncio para o Banco de Portugal e conseguiu entrar.

V — Complete com a forma enfática do pronome pessoal complemento.

1. Conta-me lá ______________ o que sabes sobre o assunto.

2. ______________ não lhes digas nada.

3. Perguntei-te ______________ e não me respondeste.

4. ______________ convido-vos no próximo fim-de-semana.

5. O professor convocou-nos ______________ para as provas de sábado.

6. Disseram-me ______________ o que tinha acontecido.

7. Já nos deram ______________ todas as informações.

8. O carro, só to empresto ______________.

9. ______________ oferecemos-lhe um livro sobre computadores.

10. ______________ vou buscar-vos mais tarde.

«Se eu fosse rico ...»

Áreas gramaticais/Estruturas

Presente do conjuntivo com	**quem quer que, onde quer que, o que quer que**
	quer ... quer
Pretérito imperfeito do conjuntivo com	**quem me dera que, oxalá, tomara que, como se**
	orações condicionais

Advérbios: **rapidamente, selvaticamente**
Locuções prepositivas: **através de, com base em**

Diálogo

Zeca: Se eu fosse rico, doava parte do meu dinheiro ao Greenpeace. Acho que tem contribuído muito para a preservação do meio ambiente.

Tó: Se não houvesse tanta falta de civismo, não estaríamos hoje com problemas tão graves por resolver.

Xana: Quanto aos problemas tens razão. Nota-se, no entanto, uma crescente preocupação da opinião pública com as questões ecológicas.

Milú: Até da parte dos próprios fabricantes. Basta mencionar a revolução que tem havido nos detergentes — biodegradáveis — e nos «sprays» que deixaram de conter produtos prejudiciais à camada de ozono.

Xana: A maioria da população já se apercebeu de que a protecção do ambiente é urgente e imediata. E, quer sejam adultos quer sejam crianças, têm de ser sensibilizados para esta realidade.

— Vamos lá falar!

Apresentação 1

Presente do conjuntivo	
Emprego	Casos
• regido por determinadas expressões	Quem quer que (1) Onde quer que (2) O que quer que (3) ...
• regido por determinadas conjunções alternativas	quer ... quer (4) (5)

Oralidade 1

1. Quem quer que tragas cá a casa, será bem-vindo.
2. Onde quer que vão, divertem-se sempre.
3. Faço o que quer que seja para conseguir o emprego.
4. Quer chova quer faça sol, vamos treinar.
5. Quer queiras quer não, vou falar com eles.

Oralidade 2

1. Qualquer que ______________ (*ser*) a resposta, ficarei satisfeito.

2. Quer ______________ (*perder*) quer ______________ (*ganhar*), o Tó vai todas as semanas ao bingo.

3. O que quer que se ______________ (*fazer*), só vai piorar a situação.

4. Quer tu ______________ (*acreditar*) quer não, a Xana vai mesmo tirar a carta.

5. Quem quer que ______________ (*vir*) agora, já não tem lugar.

6. Quer nós ______________ (*chegar*) a horas quer ______________ (*atrasar-se*), o chefe está sempre mal disposto.

7. Para onde quer que ______________ (*ir*), encontro sempre gente conhecida.

8. O jantar está confirmado, quer o Zeca ______________ (*poder*) vir quer não.

9. O que quer que tu lhe ______________ (*dizer*), será difícil dissuadi-lo.

10. Quer ______________ (*haver*) aulas quer não, temos de ir à faculdade amanhã.

11. Vou falar com eles, onde quer que eles ______________ (*estar*).

12. Quer ______________ (*ter*) tempo quer não, hoje vão ter de me ouvir.

13. Quaisquer que ______________ (*ser*), as dificuldades, teremos de enfrentá-las.

14. Quer ela ______________ (*chumbar*) quer ______________ (*passar*) no exame de condução, o pai dá-lhe o carro.

15. Quem quer que ______________ (*responder*) ao anúncio, terá de fazer uma entrevista.

Apresentação 2

Pretérito imperfeito do conjuntivo

- Forma-se a partir da 3ª pessoa do plural do pretérito perfeito simples do indicativo (P.P.S.), a que se retira a terminação ***-ram*** e se acrescenta ***-sse.***

- Traduz uma acção presente, passada ou futura em relação ao momento em que se fala.

A

Infinitivo	P.P.S. 3ª. pessoa do plural	Imp. conjuntivo 1ª. pessoa do singular
falar	fala***ram***	fala***sse***
querer	quise***ram***	quise***sse***
ouvir	ouvi***ram***	ouvi***sse***

B

	Imperfeito do conjuntivo
(eu)	de***sse***
(tu)	trouxe***sses***
(você, ele, ela)	leva***sse***
(nós)	estudá***ssemos***
(vocês, eles, elas)	fo***ssem***

C

Imperfeito do conjuntivo		
Emprego		Casos
• Exclamativas	traduzindo factos irreais ou hipotéticos	Quem me dera que (1) Oxalá (1) Tomara que (1)
• Comparativas		como se (2)

Oralidade 3

1. O Quim está no estrangeiro.

Quem me dera que
Oxalá — ele estivesse cá.
Tomara que

2. Ele percebe pouco de computadores, mas está convencido de que sabe tudo.
Ele fala de computadores ***como se* fosse** um perito.

Oralidade 4

Exemplo:

O Zeca não pode vir.
Quem me dera que ele *pudesse vir.*

1. Não encontro a minha carteira.
   Oxalá ______________________________

2. Doem-me os dentes.
   Quem me dera que ______________________________

3 Estamos à espera há meia hora e o autocarro nunca mais vem.
   Tomara que ______________________________

4. Tenho pouco tempo para praticar desporto.
   Quem me dera que ______________________________

5. Eles não vão à reunião.
   Quem me dera que ______________________________

Oralidade 5

Exemplo:

Ele trata os empregados muito mal. Até parece que são escravos dele.
Ele trata os empregados como se *fossem escravos .*

1. Ele parece um macaco a subir às árvores.
   Ele sobe às árvores como se ______________________________

2. A Milú fala tão bem francês que até passa por francesa.
   Ela fala francês como se ______________________________

3. Ela ignora-me completamente. Até parece que eu não existo.
   Ela ignora-me como se ______________________________

4. Ele trata-me por tu. Até parece que tem muita confiança comigo.
   Ele trata-me por tu como se ______________________________

5. Aquele senhor cumprimentou-nos. Até parece que nos conhecia de algum lado.
   Aquele senhor cumprimentou-nos como se ______________________________

Apresentação 3

Imperfeito do conjuntivo		
Emprego	Casos	
• Condicionais em que a condição é irreal ou hipotética	Oração subordinada	Oração subordinante
	se + imperfeito do conjuntivo	imp. do indicativo (1) ou condicional presente (2)

Oralidade 6

1. ***Se*** eu **fosse** rico, **doava** parte do meu dinheiro ao Greenpeace.
2. ***Se*** não **houvesse** tanta falta de civismo, não **teríamos** problemas tão graves.

Oralidade 7

Exemplo:

A Milú viaja muito. Por isso fica pouco tempo em casa.
Se a ***Milú não viajasse tanto, ficava mais tempo em casa.***

1. Eles treinam todos os dias. Por isso estão em excelente forma.
   Se ______________________________

2. A renda é muito alta. Não alugamos a casa.
   Se ______________________________

3. Há muito trânsito. Vamos chegar atrasados.
   Se ______________________________

4. O banco está fechado. Não levanto hoje o dinheiro.
   Se ______________________________

5. O Zeca não pode vir. Por isso não fazemos o jantar este sábado.
   Se ______________________________

6. O Tó está doente. Não vai trabalhar.
   Se ______________________________

7. Não sei o número de telefone da Xana. Por isso não lhe telefono.
   Se ______________________________

8. Não estou no teu lugar, por isso não me meto no assunto.
   Se ______________________________

9. Eles estudam pouco. Fazem mal os exercícios.
   Se ______________________________

10. Não temos dinheiro. Por isso não compramos o terreno.
    Se ______________________________

Oralidade 8

Exemplo: A Milú fala inglês como se <u>*fosse*</u> (*ser*) inglesa.

1. Se eu __________ (*ter*) dinheiro, comprava um carro novo.
2. Quem me dera que o Tó __________ (*poder*) vir connosco, mas foi para o Porto em trabalho.
3. Se não __________ (*haver*) tanto trânsito, chegávamos a horas.
4. Ela está sempre a dar opiniões como se __________ (*perceber*) muito do assunto.
5. Se tu __________ (*saber*) o número de telefone do Zeca, davas-lhe já a notícia.
6. Hoje é terça-feira. Quem me dera que já __________ (*ser*) sábado.
7. Se vocês __________ (*ler*) os jornais, sabiam o que se está a passar.
8. Ele falou comigo como se me __________ (*conhecer*) há muito tempo.
9. Se eu __________ (*estar*) no teu lugar, falava imediatamente com o director.
10. Se ela não __________ (*falar*) tanto, acabava o trabalho mais depressa.

Texto

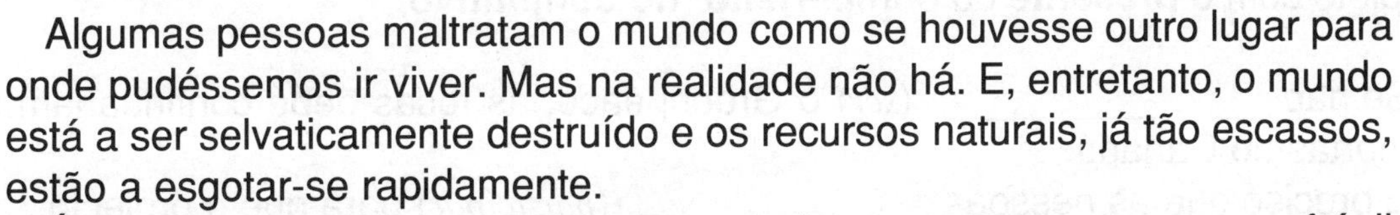

Algumas pessoas maltratam o mundo como se houvesse outro lugar para onde pudéssemos ir viver. Mas na realidade não há. E, entretanto, o mundo está a ser selvaticamente destruído e os recursos naturais, já tão escassos, estão a esgotar-se rapidamente.

É por essa razão que o Greenpeace está a tentar proteger o nosso frágil planeta. Esta organização tem conseguido sucessos notáveis através de uma acção directa internacional com base em pesquisas científicas e pressões políticas.

Muito já foi feito para que fosse possível pôr termo a:

- experiências com armas nucleares levadas a cabo pelos franceses no Pacífico;
- despejos de lixo radioactivo nos oceanos;
- matança de focas-bebé praticada em grande escala no Canadá.

Em vias de extinção está também:

- a caça comercial à baleia;
- a incineração no mar de produtos tóxicos.

No entanto, há ainda um largo caminho a percorrer, pois o principal objectivo é consciencializar o mundo para a protecção do ambiente.

A desflorestação e a destruição da camada de ozono são apenas duas das questões prioritárias em que o Greenpeace está actualmente empenhado.

Sendo uma organização não lucrativa, financiada por sócios e donativos, é urgente a ajuda de todos para que este projecto tenha continuidade.

— Vamos lá escrever!

Escrita 1

Encontre no texto os equivalentes às palavras/expressões dadas:

1. desrespeitam a natureza (1º. parágrafo) ______________________
2. limitados (1º. parágrafo) ______________________
3. estão a chegar ao fim (1º. parágrafo) ______________________
4. êxitos assinaláveis (2º. parágrafo) ______________________
5. acabar com (3º. parágrafo) ______________________
6. realizadas (3º. parágrafo) ______________________
7. em elevado número (3º. parágrafo) ______________________
8. praticamente a terminar (4º. parágrafo) ______________________
9. destruição das florestas (6º. parágrafo) ______________________
10. principais problemas (6º. parágrafo) ______________________

Escrita 2

Complete com o **presente** ou o **imperfeito do conjuntivo.**

1. Se não ____________ (*ser*) o Greenpeace, as focas-bebé continuariam a ser mortas no Canadá.
2. É preciso que as pessoas __________ (*participar*) para que o projecto______ ____________ (*poder*) ter continuidade.
3. Se esta organização não ____________ (*empenhar-se*) a fundo, não conseguiria resolver alguns problemas.
4. Embora as pessoas já ____________ (*estar*) mais consciencializadas, há muito a fazer pela defesa do meio ambiente.
5. Quem me dera que não _________ (*maltratar*) o mundo.

Escrita 3

Complete com os verbos no **indicativo** ou no **conjuntivo.**

1. Na realidade, não ___________ (*existir*) outro planeta onde a atmosfera ______ __ (*ser*) semelhante à da Terra.
2. Se não _____________ (*ser*) a acção do Greenpeace, as experiências nucleares no Pacífico __________ (*continuar*).
3. Foi preciso muito trabalho para que o Greenpeace_________ (*obter*) algumas vitórias.
4. Há pessoas que ___________ (*ter*) muita falta de civismo.
5. Talvez a desflorestação da Amazónia _________ (*estar*) neste momento à frente nas questões ecológicas.

Escrita 4

Complete o quadro.

Verbo	Substantivo
	a protecção
despejar	
	a caça
extinguir	
	a experiência
pressionar	
	a matança
destruir	
	a consciência
organizar	

Sumário

Objectivos funcionais

Comparar	«Ele fala de computadores como se fosse um perito.»
Expressar alternância	«E, quer sejam adultos quer sejam crianças, têm de ser sensibilizados para esta realidade.»
Expressar desejo	«Quem me dera que ele estivesse cá.» «Oxalá ele estivesse cá.» «Tomara que ele estivesse cá.»
Formular hipótese de irrealidade	«Se eu fosse rico, doava parte do meu dinheiro ao Greenpeace.»

Vocabulário

Substantivos e adjectivos:

a Amazónia a arma nuclear assinalável (adj.) a atmosfera o bingo biodegradável (adj.) a caça a camada científico (adj.) o civismo a consciência a continuidade crescente (adj.) a defesa a desflorestação	o despejo a destruição o detergente o donativo ecológico (adj.) a entrevista o escravo excelente (adj.) o fabricante a foca-bebé frágil (adj.) o Greenpeace a incineração lucrativo (adj.) o macaco	mal disposto (adj.) a matança o meio ambiente a natureza notável (adj.) a organização o ozono o Pacífico o perito a pesquisa a população prejudicial (adj.) a preservação a pressão	a protecção público (adj.) radioactivo (adj.) os recursos naturais a revolução satisfeito (adj.) semelhante (adj.) o sócio o «spray» a Terra o terreno tóxico (adj.) urgente (adj.) a vitória

Expressões:

em grande escala em vias de	levar a cabo meter-se no assunto	pôr termo a ter confiança com	tratar por tu

Verbos:

aperceber-se chumbar consciencializar deixar (de) despejar desrespeitar	dissuadir doar empenhar extinguir financiar ignorar	maltratar mencionar notar organizar passar (por) percorrer	piorar pressionar proteger sensibilizar (para)

UNIDADE 7

«Eu queria era que estivéssemos todos juntos ...»

Áreas gramaticais/Estruturas

Exclamativas de desejo: **pretérito imperfeito do conjuntivo vs. presente do conjuntivo**

Pretérito imperfeito do conjuntivo

Verbo *ser*: **frases enfáticas**

Advérbios: **correctamente**

Locuções adverbiais: **para além de**

Locuções conjuncionais: **a não ser que, ainda que, se bem que**

Diálogo

Zeca: E se fôssemos todos para fora neste fim-de-semana? Não era uma boa ideia?

Tó: A mim apetecia-me imenso. Ainda por cima, quinta-feira é feriado, o que quer dizer que, se metêssemos um dia de férias, tínhamos quatro dias seguidos.

Xana: Por nós tudo bem. Mas a Milú, por exemplo, não sei se pode deixar o trabalho assim sem mais nem menos.

Zeca: Tomara que possa! Eu queria era que estivéssemos todos juntos.

Quim: A não ser que a avisássemos já. Xana, tu podias telefonar-lhe logo à tarde a confirmar.

Xana: Claro! E, entretanto, propunha que combinássemos para onde vamos.

Zeca: Olha, eu sugeria que passássemos estes quatro dias na minha quinta em Aveiro. Íamos de comboio amanhã à noite e voltávamos no domingo. Se todos concordassem, até se podiam marcar já os bilhetes.

— Vamos lá falar!

Apresentação 1

Imperfeito do conjuntivo
Emprego
Usa-se nos mesmos casos do presente do conjuntivo quando o verbo da oração principal está no passado.

Oralidade 1

1. Era bom que viessem todos.
2. Fui ao médico para que me receitasse um antibiótico.
3. Era preferível que vocês trouxessem as bebidas.
4. Queria comprar uns sapatos que fossem confortáveis.
5. Era óptimo que não chovesse durante o fim-de-semana.
6. Quer quisesses quer não, tinhas de falar com o director.
7. Por onde quer que fôssemos apanhávamos sempre muito trânsito.
8. Duvidávamos que ela pudesse ir connosco.
9. Por mais que tentasse, não conseguia resolver o problema.
10. Quando os nossos pais tinham a nossa idade, talvez não houvesse tantos problemas ecológicos.

Oralidade 2

Exemplo:

Sugiro que passemos o fim-de-semana fora.
Sugeria que ***passássemos o fim-de-semana fora.***

1. Proponho que fiquem todos em minha casa.
   Propunha que ______________________
2. Basta que ela peça autorização ao chefe.
   Bastava que ______________________
3. É bom que vocês me oiçam.
   Era bom que ______________________
4. Convém que tragas agasalhos.
   Convinha que ______________________
5. Agradeço que avises a Milú.
   Agradecia que ______________________
6. Só desejo que não aconteça nada.
   Só desejava que ______________________
7. Queremos que estejam cá a horas.
   Queríamos que ______________________
8. Prefiro que vão de comboio.
   Preferia que ______________________
9. É melhor que façam já as reservas.
   Era melhor que ______________________
10. É preciso que me venham buscar a casa.
    Era preciso que ______________________

Oralidade 3

Exemplo:

Para que ***pudessem*** (*poder*) candidatar-se tinham de dominar bem a língua inglesa.

1. Mesmo que o Quim não ______________(*vir*), eles continuavam a treinar.
2. Para que não ______________(*haver*) confusão, o director ia enviar um memorando a todos os funcionários.

3. Embora eles ________________ (*ganhar)* bem, o dinheiro nunca chegava até ao fim do mês.

4. Ela telefonava-te, caso ________________ (*estar*) interessada.

5. Eu queria falar com a Milú antes que tu ________________ (*chegar*).

6. Ainda que ________________ (*chover*), íamos viajar no fim-de-semana.

7. Por mais que ________________ (*consultar)* os dicionários, não consegui descobrir o significado daquela palavra.

8. Se bem que ela não ________________ (*falar*) correctamente a língua, fazia-se entender.

9. Por pouco que ele ________________ (*comer*), não emagrecia.

10. Ainda que ________________ (*estar)* doente, o Tó foi trabalhar.

Oralidade 4

Para que a Milú pudesse ir para fora no fim-de-semana prolongado, era preciso que...

1. não__________(*ter*) nenhum voo marcado;
2. não__________(*haver*) falta de pessoal;
3. lhe__________(*dar*) licença;
4. não__________(*prejudicar*) o trabalho;
5. uma colega a __________(*substituir*);
6. __________(*avisar*) a companhia;
7. __________(*pedir*) dispensa;
8. __________(*apresentar*) uma justificação;
9. __________(*meter*) férias;
10. não__________(*estar*) de serviço;

Oralidade 5

Exemplo:

Era uma boa ideia, se nós ***fizéssemos*** (*fazer*) um fim-de-semana diferente.

1. Se todos ________ (*tirar*) um dia de férias, ficariam com quatro dias livres.

2. O Zeca sugeriu que__________(*ir*) para fora durante o fim-de-semana prolongado.

3. A Xana propôs que ________ (*fazer*) os planos para a viagem.

4. Iriam de comboio, a não ser que já não __________(*haver*) bilhetes.

5. Ele pediu que a Xana __________(*telefonar*) à Milú.

6. Talvez a Milú ________(*poder*) ir com eles.

7. Eles gostavam que o tempo ________(*estar*) bom.

8. Bastava que eles _________(*apanhar*) o comboio das 21:00.

9. O Zeca queria que os amigos _________(*ficar*) na quinta dele.

10. Embora a casa não _________(*ser*) muito grande, havia lugar para todos.

Apresentação 2

Exclamativas de desejo		
Oxalá	presente do conjuntivo	maior probabilidade de concretização
Tomara que		
Quem me dera que	imperfeito do conjuntivo	menor probabilidade de concretização

Oralidade 6 

Quim: Acho que a Milú não vai estar de serviço este fim-de-semana.

a.) Xana: Oxalá ***tenhas*** razão. Eu hoje vou telefonar-lhe para saber e amanhã já vos digo.

b) Zeca: Quem me dera que ***tivesses*** razão, mas não me parece muito provável.

1. — O Zeca deve estar mesmo a chegar.
   — Tomara que________(*chegar*). Estou farto de esperar.

2. — A Milú disse que ia tentar vir connosco para a quinta do Zeca.
   — Quem me dera que ________(*vir*), mas não acredito que consiga.

3. — Acho que o tempo vai estar bom durante o fim-de-semana.
   — Oxalá ______ (*ser*) verdade. Já estou farta de chuva.

4. — Ele hoje disse que ia falar com o chefe sobre aquele problema.
   — Quem me dera que ______________ (*falar*), mas acho que não vai ter coragem.

5. — O Quim pensa que dois dos seus alunos vão conseguir qualificar-se para as Olimpíadas.
   — Tomara que ______________ (*conseguir*). Eles têm-se esforçado tanto.

Apresentação 3

	Verbo ser
Frase neutra	Frase enfática
Tu não queres trabalhar.	Tu não *queres é* trabalhar.
O Zeca viu esse filme.	O Zeca viu *foi* esse filme.
Nós queríamos ir com vocês.	Nós queríamos *era* ir com vocês.

N.B.: O verbo *ser*, que fica sempre na *3ª pessoa do singular*, vai para o mesmo tempo do verbo que o precede e enfatiza o elemento que está à sua direita.

Oralidade 7

Exemplo:

Eu queria que estivéssemos todos juntos.
Eu queria era que estivéssemos todos juntos.

1. Era bom que ainda conseguíssemos bilhetes.
____

2. Vocês não querem fazer nada.
____

3. Propunha que fôssemos de comboio.
____

4. Ela gosta de gastar dinheiro.
____

5. Eu comprei uma camisola.
____

6. Convém que vocês não se atrasem.
____

7. Desejo que a viagem corra bem.

____

8. Gostávamos que todos pudessem vir.

____

9. Nós falámos com a Xana.

____

10. Preferia que viajassem durante o dia.

____

11. É preciso que me venham buscar à estação.

____

12. Eles ganharam a lotaria.

____

13. Duvido que ela venha connosco.

____

14. Agradecia que alguém telefonasse à Milú.

____

15. Eles querem que nós fiquemos lá em casa.

____

Oralidade 8

Xana: A que horas chegaríamos a Aveiro?

Zeca: Bem, se ____
(apanhar/comboio das 21:00) ____
(chegar/ 23:47).

Tó: Mas se ____
(ir/comboio das 17:00), até já ____
(poder jantar/Aveiro).

Zeca: Há o problema da Milú, a não ser que a Xana ____
____ *(falar/Milú)*.

Tó: E se ____ ? *(viajar/quinta-feira)*
____ *(partir/11:05)*,
____ *(almoçar/comboio)*
e ____ *(chegar/Aveiro/13:38)*.

Xana: Assim perdemos metade de um dia. Preferia que ____
____ *(ir/quarta-feira/noite)*.

Texto

250 contos foi quanto custou a Estação de Santa Apolónia

Precisamente: 250 contos foi em quanto ficou a construção da nossa velha estação de Santa Apolónia.

Claro que, se fosse hoje, a referida quantia nem chegaria para uma simples casa desmontável. Mas, naqueles recuados tempos da segunda metade do século passado, 250 contos de reis, eram, de facto, verba de respeito.

A primeira pedra dos alicerces foi lançada em Outubro de 1862, tendo-se inaugurado o edifício no dia 1 de Maio de 1865. Considerada na sua época a «terceira estação da Europa», desfrutava de algumas vantagens apreciáveis: naquela altura, o Tejo encontrava-se mesmo junto aos paredões do edifício de Santa Apolónia, o que, para além do magnífico panorama que o rio lhe oferecia, permitia que os grandes navios que então sulcavam os oceanos, pudessem atracar às suas pontes a qualquer hora.

— Vamos lá escrever!

Escrita 1

Explique por palavras suas o significado das seguintes expressões do texto.

1. (...) foi em quanto ficou a construção (...)
____

2. (...) verba de respeito (...)
____

3. (...) desfrutava de (...) vantagens apreciáveis (...)
____

4. (...) magnífico panorama (...)
____

5. (...) então sulcavam os oceanos (...)
____

Escrita 2

Altere as frases seguintes sem lhes modificar o sentido. Comece como indicado.

1. A 1 de Maio de 1865 inaugurou-se a Estação de Santa Apolónia.
A Estação de Santa Apolónia _______________
_______________.

2. A Estação de Santa Apolónia custou apenas 250 contos. Mas, mesmo assim, foi considerada a terceira da Europa.
Embora _______________
_______________.

3. Provavelmente 250 contos, hoje em dia, não chegariam para uma simples casa desmontável.
É provável que _______________
_______________.

4. A iluminação de todo o edifício era feita por 143 candeeiros a gás.
143 candeeiros a gás _______________
_______________.

5. «Santa Apolónia não tem rival entre as três principais estações de caminhos-de--ferro do mundo: para além do magnífico panorama que o rio lhe oferece, disfruta da vantagem de poderem atracar às suas pontes os maiores navios que actualmente atravessam os oceanos.»
   Num documento da época dizia-se que ______________________________
   ____
   ____
   ____
   ______________________________.

Escrita 3

RÁPIDOS LISBOA-PORTO-BRAGA – SERVIÇO ALFA E INTERCIDADES

ESTAÇÕES		[1] [2] [R] ☕ 🍷 (🍷)	IC ☕ [2] [3] [R] 🍷 (🍷)	[1] [2] [R] 🍷 (🍷)	[1] [2] [R] 🍷 🍴	[1] [2] [R] 🍷 (🍷)	[1] [2] [R] 🍷 (🍷)	IC [2] [3] [R] 🍷 (🍷)	[1] [2] [R] 🍷 (🍴)	IC [2] [R] 🍷
		121	531	123	125	127	129	533	131	521
		1-2	1-2	1-2	1-2	1-2	1-2	1-2	1-2	1-2
Lisboa (S. Apolón.)	P	7 15	7 19	8 40	11 05	14 40	17 00	17 59	20 20	21 00
Entroncamento		|	8 21	|	|	|	|	–	|	|
Pombal		|	9 00	|	|	|	|	19 35	|	|
Coimbra-B		|	9 29	10 40	13 05	16 40	19 00	20 05	|	23 11
Aveiro		|	10 03	11 13	13 38	17 13	19 33	20 38	|	23 47
Ovar		|	–	|	|	|	|	20 58	|	
Espinho		|	10 32	|	|	|	|	21 12	|	
Vila Nova de Gaia		10 07	10 44	11 50	14 15	17 50	20 10	21 24	23 12	
Porto (Campanhã)	C	10 15	10 54	12 00	14 25	18 00	20 20	21 34	23 20	
	P		11 12					21 50		
Famalicão	P		11 48					22 28		
Braga	C		12 14					22 56		

1-2 – 1.ª e 2.ª classes.

[1] – Comboio sujeito a suplemento «Serviço Alfa».

[2] – Na 2.ª classe dos comboios Alfa e Intercidades Lisboa/Braga e vice-versa, só podem viajar titulares de bilhetes inteiros ou de reduções incluídas na Tarifa Geral de Transportes.

[3] – A 1.ª classe dos Intercidades Lisboa/Braga e vice-versa, só é utilizável para o percurso total Lisboa/Porto, ou Famalicão, ou Braga e vice-versa.

⋮ – Comboio com suplemento.

[R] – Marcação de lugar obrigatória.

IC – «Intercidades».

🍷 – Serviço de bar.

(🍴) – Serviço de refeições no lugar.

(🍷) – Serviço de mini-bar

Como já sabemos, os cinco amigos tencionavam ir de comboio para Aveiro. Analise o horário de comboios com as respectivas legendas e depois faça os exercícios.
Imagine que também vai para Aveiro.

1. Quais os comboios que não pode apanhar? Porquê?
   ____
   ______________________________.

2. Se quisesse chegar a Aveiro o mais rápido possível, que comboio evitaria apanhar? Porquê?
   ____
   ______________________________.

3. Se desejasse almoçar durante a viagem, que comboio deveria apanhar? Porquê?
   ____
   ______________________________.

Imagine agora que ia passar o fim-de-semana ao Porto.

1. Poderia apanhar algum comboio directo? Justifique.

2. Se quisesse almoçar no Porto, que comboios deveria apanhar?

3. E se preferisse jantar no comboio, qual deveria apanhar?

4. Os comboios 531 e 533 não são os mais indicados para quem vai para o Porto. Porquê?

Por último, imagine que o seu destino é a cidade de Braga.

1. Tem algum comboio directo ou semi-directo? Justifique.

2. Em qualquer dos comboios que vão para Braga, teria de esperar alguns minutos na Estação de Campanhã. Em qual deles esperaria menos tempo?

3. O que significam as iniciais P e C? (1ª. coluna, lado direito)

4. Olhando mais atentamente para os símbolos e respectivas legendas, diga o que há de comum em todos os comboios.

Escrita 4

Tendo ainda como referência o horário dos caminhos-de-ferro complete o texto seguinte.

Eles chegariam a Aveiro às 23:47, se ________(*apanhar*) o comboio das ________ horas da noite. No entanto, ___________ (*ter*) de esperar alguns minutos na Estação de ________.

A viagem ________(*demorar*) cerca de ________ horas, porque o comboio________ (*ser*) praticamente directo. Contudo, se ________(*ir*) no comboio das 7:19, a viagem (*durar*)________ mais minutos, pois o comboio ________(*parar*) em todas as ________.

Se________(*querer*) tomar o pequeno-almoço durante o percurso,________ (*ter*) de ir no comboio das ________horas da manhã . E ________(*chegar*) a ________ pouco depois das 10:00.

Sumário

Objectivos funcionais

Dar ênfase	«Eu queria era que estivéssemos todos juntos.» «A mim apetecia-me imenso.»
Expressar desejo	«Tomara que possa.» «Eu queria (...) que estivéssemos todos juntos.»
Sugerir	«E se fôssemos todos para fora neste fim-de-semana?» «(...) propunha que combinássemos para onde vamos.» «(...) sugeria que passássemos estes quatro dias (...) em Aveiro.»

Substantivos e adjectivos:

Vocabulário

o agasalho o alicerce o antibiótico apreciável (adj.) Aveiro o caminho-de-ferro o candeeiro	o chefe o comboio directo comum (adj.) desmontável (adj.) a dispensa a Estação de Santa Apolónia	a Estação de Campanhã o funcionário indicado (adj.) a justificação o memorando o panorama o paredão	o pessoal a quinta recuado (adj.) referido (adj.) o respeito o rival a verba

Expressões:

Ainda por cima estar de serviço	fazer-se entender pedir dispensa	quer dizer	sem mais nem menos

Verbos:

analisar chegar (para)	dominar prejudicar propor	receitar substituir sugerir	sulcar

UNIDADE 8

«Quando fores ao meu quarto, traz-me uma camisola (...)»

Áreas gramaticais/Estruturas

Advérbios **cá** e **lá**:	**emprego enfático**
Futuro do conjuntivo:	**verbos em *-ar*, *-er* e *-ir***
Futuro do conjuntivo com	**conjunções e locuções**

Advérbios:	**abertamente, geralmente**
Conjunções:	**consoante**
Locuções adverbiais:	**de trás**
Locuções conjuncionais:	**tanto ... como**

Diálogo

Xana:	Finalmente estamos instalados. Está é um frio de rachar.
Zeca:	Eu vou já acender a lareira, que aquece a sala num instantinho.
Milú:	Eu cá vou ligar os aquecedores nos quartos todos, senão ninguém vai conseguir dormir esta noite.
Tó:	Quando fores ao meu quarto, traz-me uma camisola que eu estou é gelado.
Zeca:	Mas então o que é que acham da casa?
Xana:	Eu acho-a uma maravilha. É mesmo uma casa típica da Beira Litoral, térrea e toda caiada de branco.
Quim:	Falou a arquitecta! Mas olha que as casas típicas desta região são as dos pescadores, em madeira e erguidas do solo por causa das areias.
Zeca:	Se quiserem, amanhã vamos dar uma volta pelo litoral e então, Xana, podes fazer um estudo sobre os tipos de casas da zona de Aveiro.
Tó:	Não falem em estudar. Nós viemos para aqui foi para nos divertirmos.

— Vamos lá falar!

Apresentação 1

	Advérbios cá e lá
Frase neutra	Frase enfática
Eu vou ligar os aquecedores. Tu sabes o que estás a fazer. Eles faltaram outra vez.	Eu *cá* vou ligar os aquecedores. Tu *lá* sabes o que estás a fazer. Eles *lá* faltaram outra vez.

N.B.: Cá e **lá** enfatizam o sujeito da frase. **Cá** põe em realce formas da 1ª. pessoa e **lá**, formas das 2ª. e 3ª. pessoas.

Oralidade 1

Exemplo:

Tu sabes o que é melhor para ti.
Tu lá sabes o que é melhor para ti.

1. Eu vou ver esse filme.

   ______________________________.

2. Nós ficamos em casa do Zeca.

   ______________________________.

3. Ele passou no exame.

____.

4. A Milú conseguiu vir connosco.

____.

5. Eu quero saber o que se passa.

____.

6. Tu vieste ao jantar.

____.

7. Eles sabem com quem hão-de falar.

____.

8. Vocês acabaram por alugar a casa.

____.

9. Nós divertimo-nos bastante.

____.

10. Ela voltou a chegar atrasada.

____.

Apresentação 2

A

Futuro do conjuntivo
• Encontra-se a 1ª. pessoa do singular do futuro do conjuntivo retirando a desinência ***-am*** da 3ª. pessoa do plural do pretérito perfeito simples do indicativo (P.P.S). • Traduz eventualidade no futuro.

B

	P.P.S.	**Futuro do conjuntivo**
Infinitivo	3ª. pessoa do plural	1ª. pessoa do singular
falar querer ir	falar***am*** quiser***am*** for***am***	falar quiser for

C

Futuro do conjuntivo		
(eu)	*falar*	
(tu)	quiser	*es*
(você, ele, ela)	der	
(nós)	der	*mos*
(vocês, eles, elas)	for	*em*

Apresentação 2

Futuro do conjuntivo	
Emprego	Casos
• regido por determinadas conjunções/locuções para expressar uma situação no futuro	assim que (1) enquanto (2) quando (3) se (4) sempre que (5) ...

Oralidade 2

1. Assim que chegarem a Aveiro, telefonem-me.
2. Enquanto estiver com frio, não dispo o casaco.
3. Quando tiveres tempo, vai acender a lareira.
4. Se vocês quiserem, vamos visitar a cidade.
5. Tenciono escrever-te sempre que puder.

Oralidade 3

Exemplo: Não posso sair, enquanto não ***acabar*** (*acabar*) este trabalho.

1. A sala ficará mais quente, se nós ______________ (*acender*) a lareira.
2. Todas as vezes que eu ______________ (*ouvir*) este disco, vou lembrar-me de vocês.
3. Eles ficarão muito contentes, quando ______________ (*receber*) o teu convite.
4. Assim que ele ______________ (*vir*), chama-me.
5. Façam isso como ______________ (*querer*).
6. Telefona-me sempre que ______________ (*passar*) por Aveiro.
7. Vamos dar uma volta se não ______________ (*chover*).
8. Enquanto vocês ______________ (*estar*) em minha casa, as despesas são por minha conta.
9. Quando ______________ (*ter*) tempo, venha falar comigo.
10. Se nos ______________ (*mudar*) para o Porto, aviso-te.
11. Trate do assunto conforme ______________ (*achar*) melhor.
12. Assim que o supermercado ______________ (*abrir*), vai comprar pão.
13. Acorda-me quando ______________ (*ser*) sete horas.
14. Venham cá a casa sempre que ______________ (*poder*).
15. Quando tu ______________ (*saber*) o que tenho para te dizer, nem vais acreditar.
16. Se vocês me ______________ (*dar*) mais uma oportunidade não falharei.
17. Quando ______________ (*haver*) mais morangos, o preço desce.
18. Assim que a ______________ (*ver*), conto-lhe a novidade.
19. Quando se ______________ (*vir*) embora, feche a porta.
20. Se ______________ (*pôr*) as coisas no seu lugar, sabes sempre onde elas estão.

Oralidade 4

Exemplo: Só vou ao cinema se tu ***também fores***.

1. Só lhes pedirei desculpa se eles ______________________.
2. Só assinamos o contrato se os senhores ______________________.
3. Eles só irão de comboio se nós ______________________.
4. Só faço a comida se a Xana ______________________.
5. Nós só pagamos a conta se eles ______________________.
6. Ela só vai viajar se ele ______________________.
7. Só aceitarei as condições se vocês ______________________.
8. Só daremos uma entrevista se eles ______________________.
9. Só fico na festa se o Tó ______________________.
10. Eles só falarão com o director se eu ______________________.

Oralidade 5 

Exemplo: Vou pagar as contas, quando ***receber o ordenado.***
(receber/ordenado)

1. Ela telefona aos pais, quando ______________________.
(chegar/Aveiro)
2. A Milú ficará contente, quando ______________________.
(saber/novidade)
3. Vocês vão gostar, quando ______________________.
(ouvir/música)
4. Dou-te uma prenda, quando ______________________.
(fazer/anos)
5. Podem sair, quando ______________________.
(acabar/trabalho)
6. Vais ficar encantado, quando ______________________.
(ver/filme)
7. Tratarei desse assunto, quando ______________________.
(vir/férias)
8. Só fazemos obras na casa, quando ______________________.
(haver/dinheiro)
9. Compra-me selos, quando ______________________.
(ir/Correios)
10. Não te esqueças dos guardanapos, quando ______________________.
(pôr/mesa)

Oralidade 6

Exemplo: Chegando a Aveiro, vou telefonar aos meus pais.
Quando ***chegar a Aveiro***, vou telefonar aos meus pais.

1. Em acabando o trabalho, vamos para casa.
   Assim que ______________________________, vamos para casa.
2. Falando com ele abertamente, tudo se resolverá.
   Se ______________________________, tudo se resolverá.
3. Em podendo, venho visitar-te.
   Logo que ______________________________, venho visitar-te.
4. Estando pronta, vou ter com vocês ao café.
   Quando ______________________________, vou ter com vocês ao café.
5. Indo no comboio das 17:00, já jantamos em Aveiro.
   Se ______________________________, já jantamos em Aveiro.

Províncias de Portugal

Texto

Casas típicas de Portugal

A

Nas vertentes e vales da serrania minhota, encontra-se uma casa feita de granito e madeira, geralmente com dois pisos: no rés-do-chão ficam a pocilga, o lagar e outras divisões para arrumar os utensílios agrícolas, no 1º. andar são os quartos, a sala e a cozinha. O acesso à parte superior da casa faz-se por uma escada exterior, que termina em varanda. O telhado, mais ou menos inclinado consoante se trate de uma zona de maior ou menor pluviosidade, pode ser de telha ou de colmo. Este tipo de habitação raramente tem chaminé.

B

Na região da ria de Aveiro, zona dúnica onde a pedra escasseia, podemos deparar com dois tipos de construções diferentes: casas de tijolo e casas de madeira, principalmente quando se trata das cabanas dos pescadores.

As primeiras são pintadas ou caiadas, geralmente térreas e com cobertura de telha ou zinco; as segundas, que se situam junto à costa marítima, em terrenos arenosos e com pouca vegetação, estão assentes sobre estacas de madeira. Estas funcionam como defesa contra a acumulação de areias que faz avançar as dunas, devido aos fortes ventos que sopram de Verão.

C

A casa alentejana é de pedra ou tijolo ligados por argamassa de cal e areia, com paredes caiadas de branco, tanto no exterior como no interior. O telhado, pouco inclinado, é de telha portuguesa, estando a chaminé voltada para o lado da frente.

A habitação é térrea, rectangular e ampla, com uma faixa de cor garrida a contornar janelas, portas e rodapé. À sua volta erguem-se vários anexos onde se guardam os animais ou a maquinaria, envolvendo uma área a que se chama pátio. O conjunto destas construções designa-se por «monte».

D

A casa do Algarve litoral, que se ergue junto ao mar, é feita de pedra. As paredes ligadas por argamassa de cal e areia, formam um cubo que termina em terraço. Este, também chamado açoteia, desempenha funções muito úteis: possibilita, por exemplo, o aproveitamento da água das chuvas; serve para a seca do peixe e do figo e até da roupa da casa. A chaminé, além de funcional, é também um elemento decorativo devido ao seu bonito rendilhado.

— Vamos lá escrever!

Escrita 1

Diga a que se referem as palavras sublinhadas.

Texto A

1. (...) que termina em varanda.
2. Este tipo de habitação raramente tem chaminé.

Texto B

1. (...) onde a pedra escasseia (...)
2. As primeiras são pintadas (...)
3. (...) as segundas (...) estão assentes sobre estacas (...)
4. Estas funcionam como defesa (...)
5. (...) que sopram de Verão.

Texto C

1. À sua volta erguem-se vários anexos (...)
2. (...) onde se guardam os animais (...)
3. O conjunto destas construções designa-se por «monte».

Texto D

1. (...) que se ergue junto ao mar (...)
2. Este (...) desempenha funções muito úteis (...)
3. (...) devido ao seu bonito rendilhado.

Escrita 2

Das alternativas apresentadas, qual é a que, em significado, melhor se opõe à palavra sublinhada?

1. (...) parte superior da casa (...)

   a) interior b) menor c) inferior

2. A casa do Algarve interior (...)

   a) exterior b) litoral c) superior

3. (...) onde a pedra escasseia (...)

   a) falta b) existe c) abunda

4. (...) aos fortes ventos (...)

   a) débeis b) suaves c) fracos

5. (...) o lado da frente.

   a) o lado de trás b) o lado da frontaria c) as traseiras

Escrita 3

Das alternativas apresentadas, qual é a que, em significado, melhor se aproxima da palavra sublinhada?

1. (...) que termina em varanda.

   a) começa b) acaba c) se prolonga

2. (...) consoante se trate (...)

   a) conforme b) como c) embora

3. (...) podemos deparar com dois tipos de construções (...)

   a) encontrar b) achar c) olhar

4. (...) estão assentes sobre estacas de madeira.

   a) asseguradas b) sentadas c) apoiadas

5. (...) com cobertura de telha (...)

   a) tecto b) telhado c) tampa

Escrita 4

Ligue as duas frases com a palavra entre parênteses. Faça as alterações necessárias.

Exemplo:

Tendo tempo, vão visitar a ria de Aveiro. (*se*)
Se tiverem tempo vão visitar a ria de Aveiro.

1. A casa minhota tem dois pisos. Só é habitada no andar superior. (*embora*)

 ____

2. Eu devo ir ao Alentejo. Vou comprar um tapete de Arraiolos. (*se*)

 ____

3. Estando em Aveiro, vamos visitar as salinas. (*quando*)

 ____

4. Se for ao Algarve, não deixe de provar a aguardente de medronho. (*caso*)

 ____

5. Os pescadores receberam-nos muito bem. Parecia que éramos da família. (*como se*)

 ____

Escrita 5

Descreva detalhadamente a casa típica da sua terra natal. Relacione os recursos naturais, localização geográfica e clima com as características da habitação.

Sumário

Objectivos funcionais

Dar ênfase	«Está é um frio de rachar.» «Eu cá vou ligar os aquecedores (...)» «Tu lá sabes o que estás a fazer.»
Expressar eventualidade no futuro	«Quando fores ao meu quarto, traz-me uma camisola (...)» «Se quiserem, amanhã vamos dar uma volta pelo litoral (...)» «Assim que chegarem a Aveiro, telefonem-me.» «Tenciono escrever-te sempre que puder.»

Vocabulário

Substantivos e adjectivos:

o acesso a açoteia a acumulação a aguardente de medronho o anexo apoiado (adj.) o aproveitamento arenoso (adj.) a argamassa assegurado (adj.) a Beira Litoral a cabana caiado (adj.) a cal a chaminé a cobertura o colmo o contrato	o cubo débil (adj.) decorativo (adj.) a despesa a divisão a duna dúnico (adj.) o elemento a estaca exterior (adj.) o exterior a faixa o figo a frontaria funcional (adj.) garrido (adj.) gelado (adj.) o granito o guardanapo	a habitação inclinado (adj.) interior (adj.) o interior o lagar a lareira ligado (adj.) litoral (adj.) o litoral a maquinaria marítimo (adj.) menor (adj.) o monte pintado (adj.) o piso a pluviosidade a pocilga rectangular (adj.) o rendilhado	a ria de Aveiro o rodapé a salina a seca a serrania o solo a tampa o tapete a telha o telhado o terraço térreo (adj.) traseiro (adj.) o utensílio a varanda a vertente voltado (adj.) o zinco

Expressões:

estar um frio de rachar	ser por conta de		

Verbos:

abundar avançar contornar deparar	envolver erguer escassear	falhar funcionar (como) instalar	possibilitar prolongar soprar

Áreas gramaticais/Estruturas

Vocabulário relativo a dinheiro

Concessivas com repetição do verbo:	**presente do conjuntivo+elemento de ligação+futuro do conjuntivo**
Advérbios:	**temporariamente**

Diálogo

Xana: Então, Rita, sempre conseguiste o empréstimo para comprar a casa?

Rita: Não, ainda não. Estas coisas são difíceis e muito demoradas. E depois como a importância emprestada depende do rendimento familiar, não sei se vamos conseguir comprar casa em Lisboa. Ao preço que elas estão!

Xana: Porque é que não alugam antes uma casa? Mesmo que seja num prédio antigo, é capaz de valer a pena, desde que a renda não seja muito alta.

Rita: Sim, sim. Eu e o Mário temos visto os anúncios nos jornais. Ainda ontem fomos ver um andar na Lapa. São cinco assoalhadas, com um bom salão, escritório e três quartos muito razoáveis. Tem duas casas de banho e a cozinha, embora não seja muito grande, não é nada má. Só que está em péssimo estado e pedem um dinheirão pela chave.

Mário: Seja como for, é uma hipótese a considerar. Fazíamos umas obras para pôr a casa à nossa maneira e ficávamos com um bom apartamento dentro de Lisboa.

Xana: No que respeita à remodelação e decoração, podem contar comigo para o que for preciso.

Rita: Mas vê lá se fazes um desconto para amigos, porque os teus honorários são muito elevados para as nossas posses.

Xana: Que disparate! Terei todo o prazer em vos ajudar e, em troca, só quero ser convidada para a festa de inauguração.

Mário: Combinado. Amanhã telefono ao senhorio para tratar do aluguer.

— Vamos lá falar!

Apresentação 1

Vocabulário relativo a dinheiro

desconto	—	redução no preço.
empréstimo	—	contrato pelo qual, sob condições definidas, uma instituição entrega temporariamente dinheiro.
honorário	—	pagamento devido por serviços prestados, no caso de profissões liberais.
importância	—	quantia em dinheiro.
indemnização	—	quantia que se paga para compensar os prejuízos causados.
orçamento	—	cálculo das despesas para a realização de uma obra.
renda	—	valor de um aluguer.
rendimento	—	quantia em dinheiro que se pode obter de qualquer coisa.
sinal	—	dinheiro que se dá para assegurar o compromisso num contrato que ainda não se realizou.
trespasse	—	quantia paga pelo direito de se explorar uma casa comercial.
vencimento	—	remuneração periódica em dinheiro paga ao empregado.

Oralidade 1

Exemplo: A importância emprestada pelo banco depende do nosso *rendimento* familiar.

1. O senhor pode deixar um __________ de 25% e pagar o resto quando assinarmos o contrato.
2. Fizeram-me um __________ no preço por eu ter comprado todos os electrodomésticos lá na loja.
3. Ele é um bom advogado, mas cobra uns __________ muito altos.
4. Vou passar-lhe um cheque na __________ de 50.000$00.
5. A empresa vai aumentar os __________ dos empregados a partir do próximo mês.
6. Antes de mandar pintar a casa, vou pedir um __________ para saber quanto vou gastar.
7. A __________ da casa tem de ser paga até ao dia 8 de cada mês.
8. O tribunal obrigou-o a pagar uma __________ de 1000 contos pelos danos que resultaram do acidente.
9. Assim que o banco autorizar o __________, podemos começar as obras lá em casa.
10. A loja ainda não foi alugada porque estão a pedir muito dinheiro pelo __________.

Oralidade 2

Exemplo: *decorar a casa*
No que respeita *à decoração* da casa, falem com a Xana.

1. *emprestar dinheiro*
   No que respeita ______________________________, falem com o gerente do banco.
2. *remodelar o prédio*
   No que respeita ______________________________, falem com o arquitecto.
3. *trespassar a loja*
   No que respeita ______________________________, falem com o Sr. Lopes.
4. *alugar o andar*
   No que respeita ______________________________, falem com o senhorio.
5. *inaugurar o apartamento*
   No que respeita ______________________________, falem com a Rita.
6. *indemnizar por danos causados*
   No que respeita ______________________________, falem com a companhia de seguros.
7. *sinalizar a compra da casa*
   No que respeita ______________________________, falem com o proprietário.
8. *anunciar no jornal*
   No que respeita ______________________________, falem com a recepcionista.

Apresentação 2

Futuro do conjuntivo	
Emprego	Casos
• depois dos pronomes relativos para exprimir uma situação eventual no futuro	onde que quem ...

Oralidade 3

1. A polícia multa todos os carros *que* **estiverem** mal estacionados.
2. Vamos ouvir com atenção tudo *o que* vocês **disserem.**
3. Vou *onde* tu **fores.**
4. *Quem* **vier** depois das três já não poderá entrar.
5. O senhor faça aquilo *que* **achar** melhor.

Oralidade 4

Exemplo: Podem contar comigo para o que ***for*** (*ser*) preciso.

1. Quem ______________ (*estar*) interessado em alugar a casa, deve contactar o senhorio.
2. Aqueles que ______________ (*querer*) ver o andar modelo, têm de dirigir-se ao porteiro do prédio.
3. Quem não ______________ (*vir*) a horas, perde a camioneta.
4. Vamos para onde vocês ______________ (*ir*).
5. Agradecemos desde já a quem nos ______________ (*poder*) ajudar.
6. Façam um relatório de tudo o que ______________ (*ver*).
7. Siga as instruções que eu lhe ______________ (*dar*) e tudo correrá bem.
8. Sento-me onde o senhor me ______________ (*indicar*).
9. Presta atenção a tudo o que nós te ______________ (*dizer*).
10. Responderei a todas as questões que os jornalistas me ______________ (*pôr*).

Apresentação 3

Concessivas com repetição do verbo		
Presente do conjuntivo	Elemento de ligação	Futuro do conjuntivo
chegue	quando	chegar
esteja	quem	estiver
haja	o que	houver
seja	como	for
vá	por onde	for
venha	a que horas	vier
...	...	...

Oralidade 5

Exemplo: Seja como ***for***, é uma hipótese a considerar.

1. Custe o que ____________, temos de ganhar o campeonato.
2. Venham quando ____________, estamos sempre em casa.
3. Ouça o que ____________, não faça caso.
4. Seja quem ____________ ,não abro a porta.
5. Aconteça o que ____________, não saias daqui.
6. Estejam onde ____________, hei-de encontrá-los.
7. Faça o que ____________, ele nunca está contente com o meu trabalho.
8. Tragas o que ____________, vou gostar de certeza.
9. Durma o que ____________, estou sempre com sono.
10. Vista o que ____________, tudo lhe fica bem.
11. Haja o que ____________, temos de manter a calma.
12. Cheguem a que horas ____________, vou esperá-los à estação.
13. Ganhe o que ____________, para ela nunca é suficiente.
14. Vão por onde ____________, há sempre muito trânsito.
15. Comas o que ____________, estás sempre na mesma.

Oralidade 6

Exemplo:

Não abras a porta _a quem quer que seja._
Seja a quem for, não abras a porta.

1. Vou ter contigo onde quer que estejas.
   ______________________________, vou ter contigo.
2. Para onde quer que vá, leva sempre os guarda-costas.
   ______________________________, leva sempre os guarda-costas.
3. Quem quer que venha, será bem-vindo.
   ______________________________, será bem-vindo.
4. O que quer que digas, não acredito em ti.
   ______________________________, não acredito em ti.
5. Podes contar comigo para o que quer que seja.
   ______________________________, podes contar comigo.

Texto

ARMAZÉM

VENDE-SE

ANDAR

Cascais, 3 ass. c/ despensa. Bom estado. Central. **75.000$/mês.**

ANDARE

PORTO

zona **nobre** 4º. andar, 5 ass. c/ 3 varandas. Restaurado. **Renda 100 c.**

ALGARVE

Vende-se moradia, 1 suite+ 3 quartos, sala c/ lareira, jardim 500 m² c/ piscina. Como nova.

ANDARES EM L

VENDEM-S

ANDAR – VENDE-SE

7500c.. Arredores de Lx.. 2 ass., garagem c/ arrec.. Transp. à porta. Remodelado.

VENDO

APARTAMENTO À LAPA

4 ass., coz. com alguns electrod., 2 wc.. Obras recentes. Bom prédio c/ elev.. **30.000 c..**

S.JOÃO DO ESTORIL

2 quartos c/ roup. ampla s.c.. Estacionamento auto.. Acabamento de luxo. A estrear. **25.000 c..**

VIVENDA

CASCAIS

ESPASSE

ESCRITÓRIO

TRESPASSA-

LOJA

MORADIA

CAXIAS - ALTO DO LAGOAL

TERRUGEM

— Vamos lá escrever!

Escrita 1

Leia com atenção os seis anúncios e responda às seguintes questões, justificando com citações dos textos.

1. Que imóveis são para vender?

____

____

2. Que imóveis estão para alugar?

____

____

3. Quais os que são novos?

____

____

4. Quais os que são usados?

____

____

5. Quantas assoalhadas tem cada imóvel?

____

____

Escrita 2

Combine os números indicados na planta com a respectiva legenda.

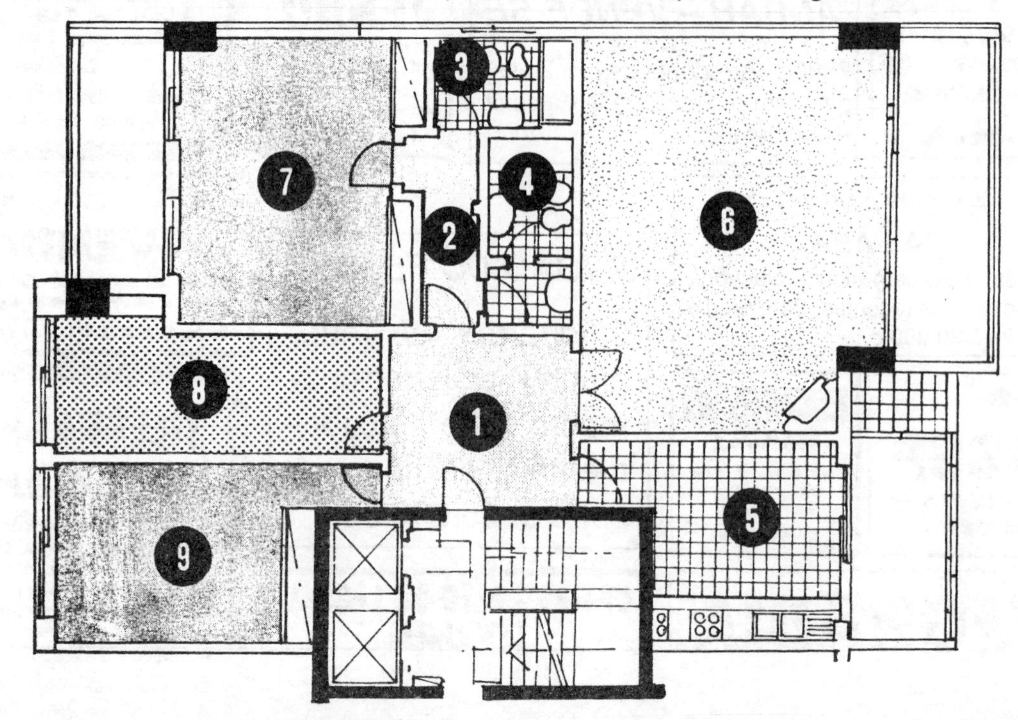

Planta de um andar

_____ sala comum com lareira e varanda	_____ casa de banho interior
_____ quarto com roupeiro e varanda	_____ cozinha com despensa e marquise
_____ quarto com roupeiro e janela	_____ corredor
_____ escritório pequeno com janela	_____ hall
_____ casa de banho com janela	

Escrita 3

Imagine que foi visitar este andar modelo. Descreva-o pormenorizadamente a um/a amigo/a, com base na legenda da planta.
Comece assim:
Ontem fui ver um andar modelo de que gostei muito. Tinha ______________________

____

____

____

____

____

____

____

____

____

____

____

____

____

____

____

____

Escrita 4

Decifre o seguinte anúncio, usando frases completas:

Andar vende-se

45000 c. LISBOA, 5 amp. ass., 4 quartos c/ roup. s.c. 35 m², W.C., 3 var., coz. c/marq., ar cond., ant. parabólica, gar. p/2 carros+arrec., c/ elev., const. recente.

____

____

____

Sumário

Objectivos funcionais

Decifrar anúncios de jornal	(ver Escrita 4)
Expressar concessão	«Seja como for, é uma hipótese a considerar.»
Expressar discordância	«Que disparate!»
Introduzir um assunto	«No que respeita à remodelação (...)»

Vocabulário

Substantivos e adjectivos:

o acabamento
o aluguer
amplo (adj.)
a antena
o ar condicionado
os arredores
a assoalhada
o cálculo
central (adj.)
a compra
o compromisso
o dano
a decoração
definido (adj.)
demorado (adj.)
o desconto
a despensa
o dinheirão
o direito
o disparate
o electrodoméstico
o empréstimo
o estacionamento
estacionado (adj.)
o gerente
o guarda-costas
o honorário
o imóvel
a importância
a indemnização
a instituição
a Lapa
o luxo
a marquise
nobre (adj.)
o orçamento
o pagamento
periódico (adj.)
o porteiro
as posses
o prejuízo
o proprietário
razoável (adj.)
a redução
a remodelação
remodelado (adj.)
a renda
o rendimento
restaurado (adj.)
o roupeiro
S. João do Estoril
a sala comum
o salão
o senhorio
o sinal
suficiente (adj.)
a suite
o trespasse
o tribunal
a troca
o vencimento

Expressões:

em troca
manter a calma
não fazer caso (de)
No que respeita a ...
Que disparate!

Verbos:

acreditar (em) assegurar autorizar cobrar	compensar depender (de) explorar indemnizar (por)	multar obrigar obter remodelar	resultar (de) sinalizar trespassar

Áreas gramaticais/Estruturas

Comparações

Discurso directo ——▷ **discurso indirecto**

Interrogativas indirectas

Advérbios: **extraordinariamente, naturalmente**

Diálogo

Zeca: A Milú telefonou a perguntar se queríamos fazer o próximo jantar de grupo em casa dela. É claro que eu disse logo que sim.
Xana: Mas o Tó não está no Norte por causa do congresso de Ortopedia?
Zéca: Está, está, mas já o contactei. Ele volta na 6ª. feira e disse que talvez passasse por Monção e, se quiséssemos, trazia umas garrafas de vinho verde para o jantar.
Quim: Hum! Que maravilha! Os petiscos da Milú regados com Alvarinho, vai ser um jantar de arromba.

....

Xana: Não sei como é que vou conseguir comer sobremesa. Estou muito cheia.
Tó: Eu também. Comi como um abade.
Milú: Não me digam uma coisa dessas! Vocês nem sonham a surpresa que eu tenho para vocês: queijo da Serra, amanteigado, do verdadeiro, e um vinho tinto, envelhecido, que é uma especialidade.
Tó: Bom, sendo assim, parece-me que vou é continuar a comer...

— Vamos lá falar!

Apresentação 1

Comparações	
Expressão	Significado
comer como um abade	comer demasiado
bêbado como um cacho	muito embriagado
são como um pêro	muito saudável
corado como um tomate	com as faces muito vermelhas
fresco como uma alface	sem cansaço, sem fadiga
branco como a cal	muito pálido
pesado como chumbo	muito pesado
surdo como uma porta	que ouve muito mal
magro como um espeto	muito magro
claro como água	óbvio, evidente
falso como Judas	muito traiçoeiro

Oralidade 1

Exemplo:

Eu cá comi que me fartei! Estou cheiíssimo!
Eu cá ***comi como um abade.***

1. Fala mais alto, senão o avô não te ouve.
   Está ____________________
2. Esta noite dormi doze horas.
   Sinto-me ____________________
3. Quando ouviu a notícia até perdeu a cor.
   Ficou ____________________
4. Não consigo levantar este caixote.
   É ____________________
5. Ele nunca está doente.
   É ____________________
6. Não confies nesse homem. Tem enganado várias pessoas.
   É ____________________
7. Na festa de anos da Xana, o Tó fartou-se de beber vinho.
   Ficou ____________________
8. Perguntei à Teresinha se já tinha arranjado namorado e ela
   ficou ____________________
9. Acho que ela devia engordar mais uns quilinhos.
   Está ____________________
10. O exercício parecia muito difícil, mas depois da explicação
    tornou-se ____________________

Apresentação 2

Interrogativas indirectas	
introduzidas por:	pedem o verbo no
como (1) onde (2) quando (3) quem (4) se (5) ...	modo indicativo

Oralidade 2

1. Não sei **como** é que ele se **chama.**
2. Digam-me lá **onde** é que **foram** passar o fim-de-semana.
3. Ele queria saber **quando** é que o Tó **voltava.**
4. Gostávamos de saber **quem** é que vos contou isso.
5. Ela perguntou **se** nós **queríamos** ir jantar lá a casa.

Oralidade 3

Complete com os verbos no indicativo ou conjuntivo.

Exemplo:

ter
Não sei se ***tenho*** tempo de ir ao supermercado.
Se não ***tiver*** tempo, vais tu por mim.

1. poder
   Não tenho a certeza se __________ ir contigo.
   Se __________ , telefono-te logo à noite.
2. convidar
   Ainda não me disseste quem é que __________ para o jantar.
   __________ quem __________ , será bem-vindo.
3. chegar
   Queria saber quando __________ a minha encomenda.
   Quando __________ , mandamos-lhe um postal para casa.
4. querer
   Se __________ , fazemos o jantar lá em casa.
   Ela telefonou a perguntar se nós __________ fazer o jantar lá em casa.
5. dizer
   Não sei como é que se __________ essa palavra em inglês.
   Vou fazer tudo como me __________ .
6. ir
   Eles perguntaram-me quando é que eu __________ viajar.
   Quando eu __________ viajar, levo-te comigo.
7. estar
   Não faço ideia onde __________ o meu porta-moedas.
   __________ onde __________ , tenho de encontrá-lo.
8. vir
   A Milú precisava de saber se o Tó também __________ à festa.
   Se o Tó __________ à festa, traz umas garrafas de vinho verde.
9. fazer
   Gostava de saber quando é que ela __________ anos.
   Ofereço-lhe um perfume quando ela __________ anos.
10. ver
    Não sei se o __________ hoje.
    Se o __________ hoje, dou-lhe o teu recado.

Apresentação 3

Discurso directo	Discurso indirecto
Presente (1) Imperfeito (2) } do conjuntivo Futuro (3) Imperativo (4 e 5)	Imperfeito do conjuntivo

Oralidade 4

1. *Tó:* Talvez **passe** por Monção.
   Ele disse que talvez **passasse** por Monção.
2. *Milú:* E que tal se **jantássemos** em minha casa?
   Ela sugeriu que **jantassem** em casa dela.
3. *Tó:* Se **quiserem** trago uma garrafa de vinho verde.
   Ele disse que se **quisessem** trazia uma garrafa de vinho verde.
4. *Xana:* **Telefonem** à Milú.
   Ela pediu que **telefonassem** à Milú.
5. *Milú:* Não **bebas** mais vinho, Tó.
   Ela disse ao Tó que não **bebesse** mais vinho.

Oralidade 5

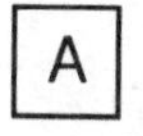

Ao telefone

Milú: Está? Zeca?
Olha, é a Milú. Sempre querem que eu faça o jantar de sábado cá em casa?
Zeca: Por mim, está tudo bem. Já contactaste os outros?
Milú: Só me falta confirmar o Tó e o Quim. Quando o Tó vier do Congresso, telefono-lhe e quanto ao Quim, telefona-lhe tu que o vês todos os dias.

A Milú telefonou ao Zeca e perguntou-lhe se sempre ____________________
____
O Zeca disse que por ____
e perguntou-lhe se ____

A Milú disse que só ____
e que quando o Tó ____
Quanto ao Quim, pediu ao Zeca que ________________________________
porque ____

B

Milú: Vai pondo a mesa, Xana, enquanto eu preparo a salada. Se precisares de alguma coisa, pede.
Xana: Onde estão os guardanapos?
Milú: Abre a primeira gaveta da esquerda, tira as toalhas e por baixo encontra-los.
Xana: Já os vi.

A Milú pediu à Xana que ____
enquanto ______________________________ . Disse-lhe que ____________ .
____ .

A Xana perguntou ______________________________ e a Milú respondeu-lhe que ______________________, ______________________ e por baixo ______________________.
A Xana respondeu que já ______________________.

C

Tó: E se fôssemos tomar um café lá abaixo? Estou cheiíssimo. Apetece-me andar um pouco.

Quim: Eu também vou. Duvido que o Zeca queira vir. Nem se consegue mexer!

Xana: Pára de comer e vem connosco ao café.

Zeca: Esperem um bocadinho. Deixem-me só acabar o doce.

O Tó sugeriu que ______________________________ porque ______________________ e ______________________.

O Quim respondeu que ______________________ mas ______________________ porque ele ______________________

A Xana disse ao Zé que ______________________ e ______________________.

O Zeca pediu-lhes que ______________________________ e ______________________________.

Oralidade 6

Complete com os verbos no indicativo, conjuntivo ou infinitivo.

1. estar
   Parece-me que a sopa __________ fria.
   Apesar de a sopa __________ fria, comi-a toda.
   Talvez a sopa __________ um pouco fria.
2. lembrar-se
   Espero que ele __________ de mim.
   Se ele __________ de mim, já me tinha escrito.
   Não sei se ele __________ de mim.
3. ter
   Acho que tu __________ toda a razão.
   Deus queira que tu __________ razão.
   Falas como se __________ razão.
4. ir
   No caso de nós __________ ao cinema, telefonamos-te.
   Se __________ ao cinema, convidamos-te.
   E se __________ ao cinema? Não era uma boa ideia?

5. poder
Tomara que ele ________________ ir à festa.
Vou perguntar-lhe se ele ________________ ir à festa.
Para ele ________________ ir à festa, tem de faltar às aulas.
6. fazer
Queria que vocês ________________ esses exercícios para amanhã.
Antes de vocês ________________ os exercícios, consultem a gramática.
Vejo que vocês já ________________ os exercícios todos.
7. dormir
Se ________________ menos de oito horas, fico mal-disposto.
Normalmente eu ________________ oito horas por dia.
Deito-me tarde, mesmo que ________________ pouco.
8. ler
Isto é para vocês ________________ com atenção.
É importante que vocês ________________ isto com atenção.
Se fosse a vocês, ________________ isto com atenção.
9. ver
Se ________________ o Pedro, diga-lhe que estou à espera dele.
Vim cá para te ________________ , Pedro.
Não ________________ o Pedro há muito tempo.
10. vir
Se ________________ a Lisboa nas férias, telefona-me.
Apesar de ________________ a Lisboa todos os meses, nunca o encontrei.
Ele ________________ ontem do Porto.

VINDIMAS NO DOURO

DOURO
REGIÃO DO VINHO DO PORTO

BARCO RABELO

VINHO DA MADEIRA

CAVES DE SANGALHOS

DÃO

MADEIRA

FUNCHAL

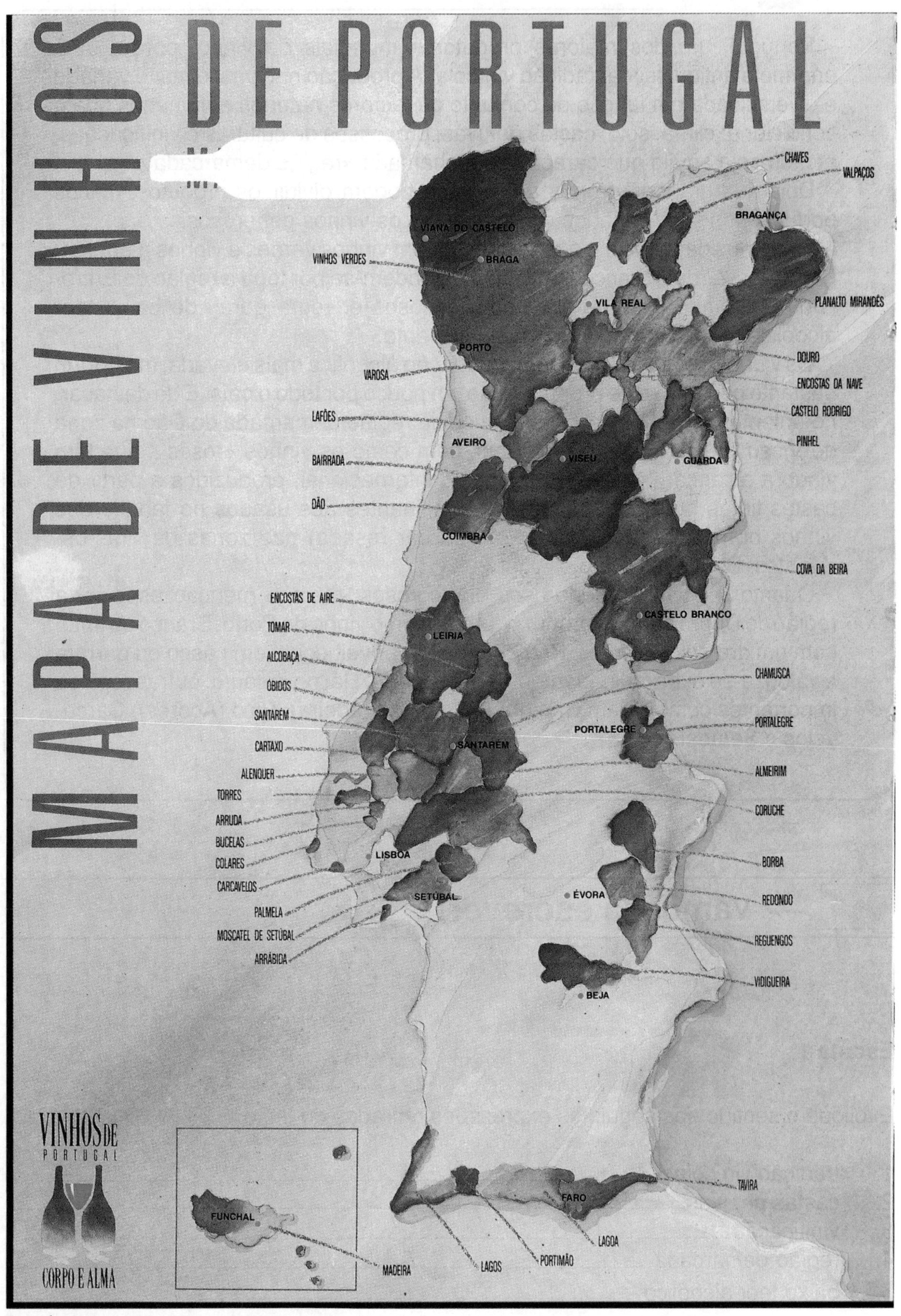

(ANUÁRIO 91 INSTITUTO DA VINHA E DO VINHO)

Texto

Portugal, um dos maiores produtores mundiais de vinho, possui uma enorme e antiquíssima tradição vinícola. A produção nacional é muito variada e diversificada em função do conjunto de factores naturais e humanos que a condiciona: clima, solo, castas de uvas, processos de culturas e vinificações, etc, ou seja aquilo que caracteriza a chamada «região demarcada».

Dois dos grandes grupos em que se podem dividir os produtos vínicos portugueses são os vinhos de consumo e os vinhos generosos.

Os vinhos de consumo subdividem-se em vinhos verdes e vinhos maduros. Os vinhos verdes, brancos ou tintos, estendem-se por toda a região de Entre-Douro-e-Minho. São naturalmente gasosos e, regra geral, de baixo teor alcoólico, não suportando o envelhecimento.

Os vinhos maduros, com uma graduação alcoólica mais elevada, melhoram bastante com a idade e produzem-se um pouco por todo o país. É de destacar, no entanto, os vinhos brancos e tintos da região demarcada do Dão na zona de Viseu (Beira Alta) e do Alentejo, bem como os vinhos «rosés», que têm vindo a alcançar posição no comércio internacional, produzidos a partir de castas tintas mas com processos semelhantes aos usados no fabrico dos vinhos brancos (o que justifica a sua cor rosada) nas zonas de Trás-os-Montes, Beiras, Ribatejo e Algarve.

Quanto aos vinhos generosos ou licorosos, merece menção especial a região do Douro onde se produz o famosíssimo vinho do Porto. Branco ou tinto, com um grau alcoólico de 19 a 22 graus, é envelhecido em casco ou garrafa e valoriza-se extraordinariamente com a idade. Há, no entanto, outras regiões importantes como sejam Câmara de Lobos (Madeira), Pico (Açores), Carcavelos e Setúbal.

— Vamos lá escrever!

Escrita 1

Explique o sentido das seguintes expressões retiradas do texto.

1. tradição vinícola ____________________
2. castas de uvas ____________________
3. vinificação ____________________
4. região demarcada ____________________
5. baixo teor alcoólico ____________________

Escrita 2

Procure, no texto, extractos equivalentes às seguintes frases:

1. um dos expoentes máximos da produção vinícola em todo o mundo

   ___

2. vasta e secular

   ___

3. dependente de diversos elementos

   ___

4. alterando-se com o passar dos anos

   ___

5. valorizam-se com o envelhecimento

   ___

6. são dignos de menção

   ___

7. cuja procura tem aumentado

   ___

8. é de realçar

   ___

9. mundialmente conhecido

   ___

10. deixado em pipas de madeira durante anos

   ___

Escrita 3

Complete o quadro.

Verbo	Substantivo
envelhecer	
	a produção
consumir	
	a valorização
fabricar	
mencionar	
	a condição
graduar	

Escrita 4

Faça o resumo do texto (10 linhas) e atribua-lhe um título.

Sumário

Objectivos funcionais

Expressar agrado	«Hum...! Que maravilha!»
Expressar desilusão	«Não me digam uma coisa dessas.»
Fazer comparações	«Comi como um abade».
Reproduzir indirectamente um enunciado	«A Milú telefonou a perguntar se queríamos fazer o próximo jantar de grupo em casa dela».

Vocabulário

Substantivos e adjectivos:

alcoólico (adj.)	o Douro	o grau	a região demarcada
Alvarinho	embriagado (adj.)	máximo (adj.)	o Ribatejo
amanteigado (adj.)	Entre-Douro-e-Minho	Monção	rosado (adj.)
a Beira Alta	envelhecido (adj.)	o namorado	Setúbal
as Beiras	o envelhecimento	natural (adj.)	a sobremesa
o caixote	especial (adj.)	óbvio (adj.)	o teor
o cansaço	a especialidade	Ortopedia	tinto (adj.)
o casco	evidente (adj.)	pálido (adj.)	traiçoeiro (adj.)
a casta	o expoente	o Pico	Trás-os-Montes
as castas (de uvas)	o fabrico	a pipa	a valorização
chamada (adj.)	a face	o processo	vínico (adj.)
o congresso	a fadiga	a produção	vinícola (adj.)
Dão	gasoso (adj.)	o produtor	a vinificação
dependente (adj.)	a gaveta	o queijo da Serra	

Expressões:

bêbado como um cacho branco como a cal claro como água	comi como um abade corado como um tomate falso como Judas	fresco como uma alface magro como um espeto pesado como chumbo	são como um pêro surdo como uma porta

Verbos:

condicionar confiar (em) consumir destacar enganar	envelhecer estender-se (por) fabricar fartar-se fartar-se (de)	graduar mandar possuir realçar regar	sonhar subdividir-se (em) suportar valorizar-se

Revisão

6/10

I - Complete com os verbos no infinitivo pessoal ou no futuro do conjuntivo.

1. Quando vocês ________ (*vir*) a Lisboa, não se esqueçam de me avisar.
2. Quem ________ (*saber*) a resposta, levante o braço.
3. Antes de ________ (*partir*), vem visitar-me.
4. Foram ao cinema para ________ (*distrair-se*).
5. Ao ________ (*sair*), fecha a luz.
6. No caso de ___________ (*estar*) interessados na excursão, têm de se inscrever até ao fim da semana.
7. Depois de ________ (*ler*) o livro, empresta-mo.
8. Se nós sempre ________ (*ir*) a Monção, trazemos-te umas garrafas de vinho verde.
9. Apesar de já ________ (*ser*) 23:00, vou telefonar à Milú.
10. Sempre que vocês __________ (*ficar*) em minha casa, não têm de se preocupar com as despesas.
11. É melhor tu __________ (*tirar*) férias em Agosto.
12. Enquanto __________ (*haver*) trabalho, não posso sair.
13. Só te deixo ir embora, quando me __________ (*dizer*) a verdade.
14. Assim que a ________ (*ver*), dou-lhe a notícia.
15. Ficas doente por__________ (*comer*) tanto.
16. Não tomes remédios sem primeiro ________ (*consultar*) o médico.
17. Quando ________ (*fazer*) anos, vou dar uma festa.
18. Basta vocês ________ (*pedir*) autorização ao chefe.
19. É pena tu não __________ (*poder*) vir connosco.
20. Faça como __________ (*querer*).

II - Complete com os verbos no indicativo ou no conjuntivo.

1. Claro que o preço ________ (*depender*) da qualidade do produto.
2. Quando eles __________ (*chegar*) a casa, já era tardíssimo.
3. Caso o senhor ________ (*querer*) participar tem de preencher este impresso.
4. Parece-me que hoje ainda __________ (*chover*).
5. Não sei se ________ (*poder*) ir com vocês.
6. Vamos estudar para um lugar onde ________ (*haver*) menos barulho.
7. Façam como se __________ (*estar*) em vossa casa.
8. Quer o Tó ________ (*vir*) quer não, fazemos o jantar no sábado.
9. Assim que ________ (*pôr*) anúncio no jornal, arranjaram logo uma empregada.

10. ______ o que ________(*custar*), tenho de passar no exame.
11. Não te preocupes com a falta de notícias, porque talvez ________(*ser*) atraso dos correios.
12. Por mais que ________ (*pensar*), não me lembro do nome dela.
13. Aonde quer que ________ (*ir*), encontra-o sempre.
14. A senhora deve continuar a tomar os remédios até que não ________ (*ter*) mais dores.
15. Oxalá o tempo ________ (*ficar*) melhor, senão não podemos ir à praia.
16. Embora ela __________ (*saber*) inglês, não foi admitida.
17. Com o trânsito que está, receio que eles__________ (*atrasar-se*).
18. Ninguém me disse como __________ (*chamar-se*) o novo professor.
19. Há alguém que me __________ (*dar*) uma informação?
20. Mesmo que tu ____________ (*apanhar*) já o autocarro, não chegas a tempo.

III - Altere as seguintes frases sem lhes modificar o sentido. Comece como indicado.

1. Apesar do calor, estou a gostar muito do espectáculo.
   Embora ____
   ____
   ____

2. Para o sucesso deste produto, muito contribuiu a publicidade.
   Para que ____
   ____
   ____

3 Às seis horas vou para casa.
   Quando ____
   ____
   ____

4. Sem a ajuda financeira dos pais, ela não estaria a estudar no estrangeiro.
   Se ____
   ____
   ____

5. Farei tudo de acordo com a tua explicação.
   Farei tudo como ____
   ____
   ____

IV - Ligue as ideias seguintes de acordo com a proposta:

a) hipótese ainda possível
b) hipótese não verificada no presente

1. comprar um carro — dar grandes passeios
   a) *Se comprar um carro, dou grandes passeios.*
   b) *Se comprasse um carro, dava grandes passeios.*

2. compreender os outros — conhecer-me melhor
   a) ____________________
   b) ____________________

3. sair a sorte grande — ficar milionário
   a) ____________________
   b) ____________________

4. estar melhor — ir sair connosco
   a) ____________________
   b) ____________________

5. ser promovido — ganhar mais dinheiro
   a) ____________________
   b) ____________________

V - Passe o seguinte diálogo para o discurso indirecto. Use os verbos ***dizer, pedir, perguntar, responder, sugerir*** e, quando possível, ligue as falas da mesma personagem por meio de conjunções.

Zeca: Então como é que correu o Congresso?
Tó: Tudo bem. Os debates foram mesmo bastante interessantes.
Zeca: E sempre nos trouxeste o vinho verde de Monção?
Tó: Claro que sim. Podia esquecer tudo menos isso. E até estou arrependido de não ter trazido mais, embora já não esteja tão barato como antigamente.
Zeca: Se lá voltares, compra umas duas caixas que nós dividimos por todos. Seja a que preço for, é com certeza menos caro do que em Lisboa.
Tó: Mas não fales em viagens, que cansado estou eu! Nós viemos aqui foi para combinarmos o próximo jantar.
Zeca: De acordo. E se fizéssemos um arroz de tamboril com gambas, hem?

UNIDADE 11

«(...) a arte interessa-me e interessar-me-á sempre.»

Áreas gramaticais/ Estruturas

Pretérito mais-que-perfeito simples do indicativo

Conjugação pronominal com o futuro imperfeito do indicativo e o condicional presente

---

Advérbios: **pessoalmente, prioritariamente, publicamente**

Diálogo

Xana: Tudo o que tenha a ver com a arte interessa-me e interessar-me-á sempre. Além de ter como profissão a arquitectura, sabes bem que nos meus tempos livres adoro pintar e visitar galerias de pintura.
Milú: Então já foste com certeza ao Centro de Arte Moderna da Gulbenkian.
Xana: Claro! E ao museu também. É que lá se encontra a célebre colecção de pinturas europeias que Calouste Gulbenkian legou à Fundação.
Quim: E, pelo que sei, o seu interesse pela arte não se limitava à pintura.
Xana: Muito pelo contrário. A sua colecção de obras de arte — cerca de 6400 — incluía desde escultura egípcia, cerâmicas orientais, livros antigos até mobiliário francês, tapeçarias, moedas gregas, etc.
Quim: E toda a colecção está cá em Portugal?
Xana: Está. Encontra-se em Portugal desde 1960. Anteriormente, parte estivera em Londres e depois em Washington. O maior desejo de Calouste Gulbenkian era que as suas obras de arte ficassem sob um mesmo tecto. E, de facto, assim foi.

— Vamos lá falar!

Oralidade 1

Exemplo:

- **Conhecemos o artista** pessoalmente.
- Eu também. Tive o prazer de ***conhecê-lo*** ontem.

1. — Ontem **vimos os quadros** que a Xana pintou.
   — Eu ______________ na semana passada.

2. — Amanhã vamos **visitar a nova galeria de arte.**
   — Eu vou ______________ no fim-de-semana.

3. — Eles sempre **compraram a escultura**?
   — Claro. ______________ no mesmo dia.

4. — **Pergunta ao Tó** se quer vir connosco ao museu.
   — ______________ assim que o vir.

5. — **Conheces o arquitecto Lopes**?
   — Sim, sim. ______________ muito bem.

Apresentação 1

Futuro imp. do indicativo		Conjugação pronominal		Condicional presente	
contar	ei	contar-lhe-ei	dir-te-ia	dir	ia
dar	ás	dar-nos-ás	fá-lo-ias	far	ias
falar	á	falar-me-á	receber-vos-ia	receber	ia
lembrar	emos	lembrá-la-emos	sentar-nos-íamos	sentar	íamos
ver	ão	ver-se-ão	trar-lhes-iam	trar	iam

N.B.: Esta interposição do pronome na forma verbal ocorre sempre que o verbo esteja no futuro imperfeito do indicativo ou no condicional presente.

Oralidade 2

1. Vou estar com o Tó amanhã e **falar-lhe-ei** no assunto.
2. Se pudesse, **pôr-te-ia** à vontade.
3. Depois de tantos anos, **ver-se-ão** de novo no sábado.
4. O Dr. Sousa **recebê-lo-á** às 17:00.
5. O senhor **sentir-se-ia** melhor se tomasse o remédio.
6. A encomenda **ser-lhe-á** entregue amanhã.
7. **Encontrar-nos-emos** novamente no próximo congresso.

Oralidade 3

Exemplo: A pintura interessa-me e *interessar-me-á* sempre.

1. Isso faz-se assim e ______________ sempre.
2. A colecção de arte encontra-se em Portugal e ______________ sempre.
3. Vemo-nos todos os sábados e ______________ sempre.
4. Cumprimentei-o e ______________ sempre.
5. Ela mentiu-nos e ______________ sempre.
6. Trouxe-te uma lembrança e ______________ sempre.
7. Reúnem-se todos os meses e ______________ sempre.
9. Dão-se mal e ______________ sempre.
10. Falei-lhe e ______________ sempre.

Oralidade 4

Exemplo: Contei-lhe tudo e *contar-lhe-ia* outra vez.

1. Ajudámo-lo e ____________ outra vez.
2. Falei-lhes e ____________ outra vez.
3. Casou-se com ela e ____________ outra vez.
4. Fiz-te uma promessa e ____________ outra vez.
5. Dei-vos as informações e ____________ outra vez.
6. Contou-lhe o que se passou e ____________ outra vez.
7. Abracei-o e ____________ outra vez.
8. Perderam-se no centro e ____________ outra vez.
9. Pedi-te desculpa e ____________ outra vez.
10. Demitiu-se do cargo e ____________ outra vez.

Oralidade 5

Exemplo:

Vou visitá-lo amanhã.
Visitá-lo-ei amanhã.
Dizia-te o que aconteceu, mas agora não posso.
Dir-te-ia o que aconteceu, mas agora não posso.

1. Se trabalhássemos juntos, **dávamo-nos** mal.
   ____.
2. **Vou sentir-me** melhor depois de falar com o médico.
   ____.
3. **Vamos mandar-te** um postal assim que chegarmos lá.
   ____.
4. Se eles estivessem cá, **convidava-os** para a exposição.
   ____.
5. O quadro **vai ser-lhe** entregue daqui a uma semana.
   ____.
6. **Vamos contactá-la** na próxima segunda-feira.
   ____.
7. **Levantava-me** mais tarde, se amanhã não trabalhasse.
   ____.
8. **Viam-se** mais vezes, se morassem no mesmo bairro.
   ____.
9. **Interessava-lhe** ver mais catálogos sobre a exposição?
   ____.
10. Eles **vão trazer-te** o que lhes pediste.
   ____.

.Apresentação 2

A

Pretérito mais-que-perfeito simples do indicativo
• Forma-se a partir da 3ª. pessoa do plural do pretérito perfeito simples, a que se retira *-m* encontrando-se a 1ª. pessoa do singular. • Indica: - uma acção que ocorreu antes de outra acção já passada (1) (2); - um facto vagamente situado no passado (3) (4) (5)

N.B.: Mais frequente na linguagem escrita; menos usual na linguagem oral, na qual se dá preferência à forma composta.

B

	P.P.S.	P.M.Q.P.S.
Infinitivo	3ª.pessoa do plural	1ª. pessoa do singular
estar	estivera*m*	estivera
querer	quisera*m*	quisera
conseguir	conseguira*m*	conseguira

C

Pretérito mais-que-perfeito simples do indicativo		
(eu)	estiver	**a**
(tu)	for	**as**
(você, ele, ela)	nascer	**a**
(nós)	quisér	**amos**
(vocês, eles, elas)	viver	**am**

Oralidade 6

1. Calouste Gulbenkian completou os estudos com distinção em Londres, onde **passara** toda a sua juventude.
2. Aos 22 anos de idade **fizera** já um importante relatório sobre os campos petrolíferos da Mesopotâmia (Iraque).
3. **Interessara**-se, desde cedo, pela exploração e negócio do petróleo.
4. Para além disto, Gulbenkian **fora** um extraordinário amador de arte.
5. **Preferira** sempre a beleza ao valor comercial dos objectos.

Oralidade 7

Exemplo: Graças ao seu trabalho e génio criador, Gulbenkian ***conseguira*** (*conseguir*) reunir tamanha riqueza.

1. Durante toda a sua vida, Gulbenkian ____________ (*fazer*) importantes doações.
2. ____________ (*proteger*) especialmente as comunidades arménias.
3. ____________ (*nascer*) em Istambul, em 1869, no seio de uma família de ricos comerciantes arménios.
4. Antes de morrer, Calouste Gulbenkian ____________ (*querer*) ver toda a sua colecção reunida.
5. ____________ (*ser*) este o seu maior desejo.
6. Parte do seu património artístico ____________ (*estar*) na National Gallery em Londres.
7. Outra parte ____________ (*ser*) exposta em Washington.
8. Antes de se fixar em Portugal, em plena II Guerra Mundial, ____________ (*viver*) em Paris.
9. Faleceu num hotel em Lisboa, onde ____________ (*estabelecer*) residência permanente.
10. ____________ (*escolher*) esta cidade para sede da Fundação com o seu nome.

Texto

Através do seu testamento, Calouste Gulbenkian criou, nos termos da lei portuguesa, uma Fundação denominada «Fundação Calouste Gulbenkian», cujas bases essenciais são as seguintes:

a) é uma Fundação portuguesa, perpétua, com sede em Lisboa, podendo ter, em qualquer lugar do mundo civilizado, as dependências que forem julgadas necessárias;
b) os seus fins são caritativos, artísticos, educativos e científicos;
c) a sua acção exercer-se-á não só em Portugal, mas também em qualquer outro país, onde os seus dirigentes o julguem conveniente.

Deste modo, a Fundação opera, desde o princípio da sua existência, no Médio Oriente (a sua principal fonte de receitas provinha do Iraque), junto às comunidades arménias espalhadas pelo mundo (Calouste Gulbenkian era arménio) e no Reino Unido (a sede dos negócios de Gulbenkian era em Londres e este naturalizara-se britânico). Mais tarde, a sua acção estender-se-ia à França (país onde vivera largos anos antes de fixar residência em Lisboa e onde reunira grande parte da sua colecção de arte) e a todos os países de língua oficial portuguesa, com particular incidência no Brasil e nos novos estados africanos.

Museu Calouste Gulbenkian

Aberto ao público em 1969 para apresentação da colecção de arte do fundador, o Museu Calouste Gulbenkian alberga 6.400 peças, sendo a mais moderna do
20 primeiro quartel do nosso século e a mais antiga de há cerca de 3000 anos.

Construído um ano depois da sua morte, visava não só prestar homenagem a um dos maiores coleccionadores de arte do nosso tempo, como também dar cumprimento à vontade do filantropo, que manifestara o desejo de que os seus objectos de arte se mantivessem reunidos num mesmo local, após o seu desa-
25 parecimento.

Desde logo se iniciou um programa de actividades culturais, no âmbito da divulgação deste legado, que veio enriquecer o património artístico de Portugal: o Museu, verdadeiro lugar de convívio que visa estimular e desenvolver as capacidades de expressão e comunicação, possui um núcleo de acolhimento e
30 orientação de visitas em grupo, realiza exposições de carácter educativo sobre as diferentes áreas desta colecção e sobre ela tem editado diversas publicações.

— Vamos lá escrever!

Escrita 1

Onde é que no texto se diz que:

1. a Fundação nunca cessará as suas actividades.
2. a Fundação poderá ter no estrangeiro um número ilimitado de delegações.
3. a maior parte dos rendimentos de Gulbenkian eram fruto dos seus negócios no mundo árabe.
4. Gulbenkian permaneceu por um longo período de tempo num país de língua latina.
5. a acção da Fundação se exerce prioritariamente nalguns países que já estiveram sob o domínio português.

Escrita 2

Diga a que se referem as palavras destacadas:

1. Através do **seu** testamento (...) (linha 1)
2. (...) **cujas** bases essenciais (...) (linha 3)
3. (...) os **seus** fins (...) (linha 7)
4. (...) a **sua** acção (...) (linha 8)
5. (...) **este** (...) (linha 13)
6. (...) **onde** reunira (...) (linha 15)
7. (...) **a** mais moderna (...) (linha 19)
8. (...) o **seu** desaparecimento (...) (linha 25)
9. (...) **que** veio enriquecer (...) (linha 27)
10. (...) sobre **ela** tem editado (...) (linha 31)

Escrita 3

Combine as palavras/expressões da coluna A com as da coluna B.

A	B
1. naturalizar-se	a) campo de acção
2. aberto ao público	b) humanitário
3. albergar	c) reunir sob o mesmo tecto
4. prestar homenagem	d) o que foi deixado em testamento
5. estimular	e) despertar o interesse
6. âmbito	f) contrair cidadania
7. operar	g) satisfazer o desejo
8. legado	h) inaugurado
9. dar cumprimento à vontade	i) exercer acção
10. filantropo	j) reconhecer publicamente o valor

Escrita 4

Altere as seguintes frases sem lhes modificar o sentido. Comece como indicado.

1. Os seus fins são caritativos, artísticos, educativos e científicos.
   Os seus fins visam a ______________________________
   ______________________________.
2. Gulbenkian reunira grande parte da sua colecção em França.
   Grande parte da sua colecção ______________________________
   ______________________________.
3. Gulbenkian manifestara o desejo de que os seus objectos de arte se mantivessem reunidos num mesmo local, após o seu desaparecimento.
   Gulbenkian:« ______________________________
   ____
   ______________________________».
4. Desde logo se iniciou um programa de actividades culturais.
   Foi decidido que ______________________________
   ______________________________.
5. O Museu atrai muitos visitantes porque realiza diversas exposições de carácter educativo sobre as diferentes áreas desta colecção.
   O Museu atrai muitos visitantes por ______________________________
   ____
   ______________________________.

Sumário

Objectivos funcionais

Falar de acções que ocorreram antes de outras já passadas	«Anteriormente, parte estivera em Londres (...)»
Falar de factos vagamente situados no passado	«Preferira sempre a beleza ao valor comercial dos objectos.»
Reforçar uma ideia	«(...) a arte interessa-me e interessar-me-á sempre.» «Contei-lhe tudo e contar-lhe-ia outra vez.»

Vocabulário

Substantivos e adjectivos:

o acolhimento africano (adj.) a apresentação árabe (adj.) arménio (adj.) a base britânico (adj.) o campo petrolífero caritativo (adj.) célebre (adj.) o Centro de Arte Moderna civilizado (adj.) o coleccionador o comerciante conveniente (adj.) o convívio	denominado (adj.) o desejo o dirigente a distinção a divulgação educativo (adj.) egípcio (adj.) a escultura espalhado (adj.) essencial (adj.) extraordinário (adj.) filantropo (adj.) a fonte a Fundação a Fundação Calouste Gulbenkian o fundador	a galeria grego (adj.) humanitário (adj.) ilimitado (adj.) inaugurado (adj.) a incidência o Iraque Istambul a juventude latino (adj.) o legado Londres o Médio Oriente a Mesopotâmia o mobiliário o negócio o núcleo	oriental (adj.) particular (adj.) a peça permanente (adj.) perpétuo (adj.) o petróleo a pintura o quartel a receita o Reino Unido reunido (adj.) a riqueza a II Guerra Mundial a tapeçaria o testamento Washington

Expressões:

dar cumprimento a dar-se mal	fazer doações fazer uma promessa	graças a no seio de	pôr à vontade ser fruto de ter a ver com

Verbos:

albergar cessar demitir-se editar enriquecer	estabelecer estimular expor falecer fixar-se	legar manifestar mentir naturalizar-se operar	permanecer provir reconhecer visar

Áreas gramaticais/Estruturas

Verbo *dar* + preposições

Pretérito perfeito composto do conjuntivo

Preposições: **defronte**

Diálogo

Xana: Para mim, a pintora Maluda continua a ser a melhor. Já reparaste bem na luz e na cor das janelas, para já não falar no carácter tridimensional que ela consegue dar aos seus quadros?

Tó: Não desgosto. Mas prefiro os quadros de Vieira da Silva.
Inspirada nas grandes cidades, principalmente Lisboa, cria imagens vagas, abstractas e geométricas.

Milu: Eu cá aprecio mais o Cargaleiro, embora tenha sido influenciado por Vieira da Silva. Olha, gosto especialmente deste por causa da predominância dos azuis e dos amarelos que lhe conferem muito ritmo e frescura.

Tó: É de facto uma maravilha. As pinceladas verticais e horizontais, formando malhas geométricas, fazem lembrar os azulejos que decoram as casas.

Quim: Pois o meu pintor preferido continua a ser Júlio Pomar. Teve uma fase neo-realista expressionista, mas as suas últimas obras já são abstractas.

Xana: Depois de ver tantas obras de arte, acho que afinal não dou para pintora.

— Vamos lá falar!

Apresentação 1

Verbo *dar* + preposições		
dar com	—	descobrir, encontrar (1)
dar-se com	—	relacionar-se com, tolerar (2)
dar em	—	acabar em, resultar (3)
dar para	—	estar situado defronte (4)
	—	servir, ter vocação para (5)
dar por	—	aperceber-se, tomar consciência de (6)

Oralidade 1

1. Não **dei com** o restaurante que me indicaste.
2. Ele não **se dá com** o irmão.

3. A Xana agora **deu em** pintora.
4. A janela da sala **dá para** o jardim.
5. Eu não **dava para** médico.
6. Ele entrou e saiu e eu não **dei por** nada.

Oralidade 2

Exemplo:

A casa está **voltada para o mar.** Tem uma vista maravilhosa.
A casa dá para o mar. Tem uma vista maravilhosa.

1. Prefiro o Verão ao Inverno, porque **não aguento o frio.**
2. Chegámos mais tarde, porque não conseguíamos **encontrar a tua rua.**
3. Roubaram-me a carteira e só quando cheguei a casa é que **me apercebi disso.**
4. Com o medo que ela tem de andar de avião não **servia para hospedeira.**
5. Com a educação que teve, não admira que **se tornasse ladrão.**
6. Só um dos quartos é que **é virado para as traseiras do prédio.**
7. Procurei-o pela casa toda e **fui encontrá-lo a dormir no sofá.**
8. Tímida como ela é, não me parece que **tenha jeito para relações públicas.**
9. Ultimamente **temos convivido bastante com eles:** saímos todos os fins-de-semana.
10. Acho que ela também foi à exposição, mas se queres que te diga **nem reparei nela.**

Apresentação 2

A

Pretérito perfeito composto do conjuntivo

• Forma-se com o verbo auxiliar *ter* no **presente do conjuntivo** e o **particípio passado do verbo principal.**

B

Pretérito perfeito composto do conjuntivo		
(eu)	tenha	
(tu)	tenhas	acabado
(você, ele, ela)	tenha	feito
(nós)	tenhamos	sido
(vocês, eles, elas)	tenham	

C

Pretérito perfeito composto do conjuntivo
Emprego
• Indica uma acção já realizada em relação ao • presente (1) • futuro (2)

Oralidade 3

1. Lamento que **tenhas ficado** aborrecido com o que te disse.
2. Espero que vocês já **tenham terminado** o exercício quando eu voltar.

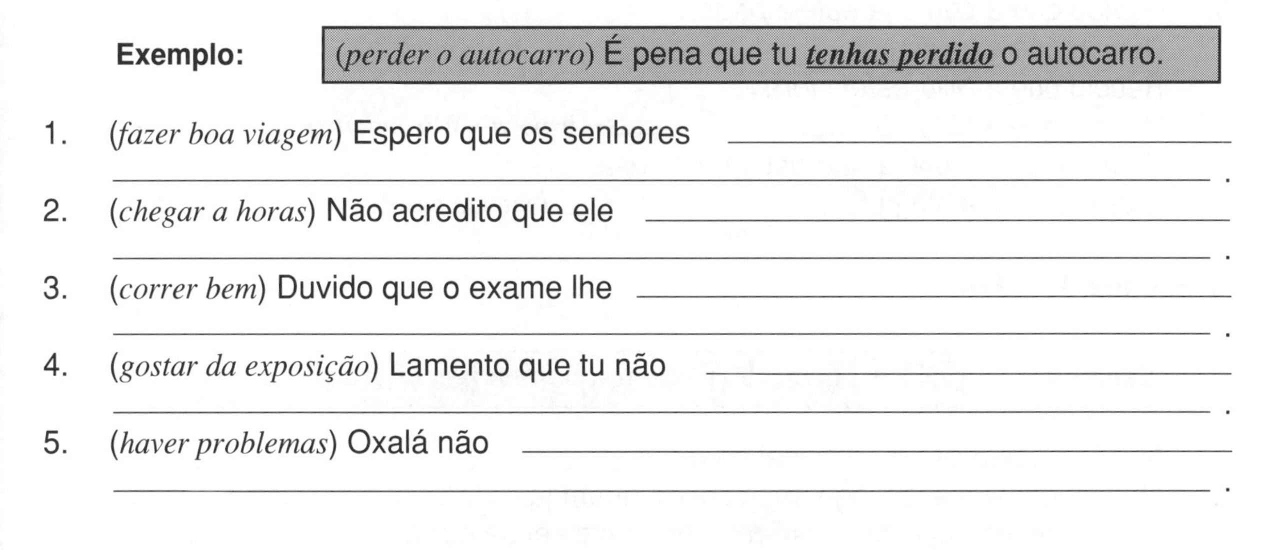

Oralidade 4

Exemplo: (*perder o autocarro*) É pena que tu ***tenhas perdido*** o autocarro.

1. (*fazer boa viagem*) Espero que os senhores ______________________________ .
2. (*chegar a horas*) Não acredito que ele ______________________________ .
3. (*correr bem*) Duvido que o exame lhe ______________________________ .
4. (*gostar da exposição*) Lamento que tu não ______________________________ .
5. (*haver problemas*) Oxalá não ______________________________ .

Oralidade 5

Exemplo: Espero que já ***tenhas feito*** (*fazer*) o jantar quando eu chegar.

1. Daqui a meia hora é provável que ela ____________ (*acabar*) o quadro.
2. Espero que em Junho já ____________ (*inaugurar*) a exposição.
3. Ficarei aqui até que vocês ____________ (*tomar*) uma decisão.
4. Quando eles voltarem, é possível que nós já ____________ (*conseguir*) falar com ela.
5. Amanhã por estas horas é provável que a Milú já ____________ (*vir*) de S.Paulo.

Oralidade 6

Exemplo:

Embora eles já ***tenham saído*** (*sair*) há muito tempo, ainda não chegaram a casa.

1. Caso tu já ____________ (*ler*) o livro, empresta-mo.
2. Tomara que ele ____________ (*dizer*) a verdade.
3. Embora eu já ____________ (*ver*) esse filme, não me lembro como é que acaba.
4. Aonde quer que elas ____________ (*ir*), já cá deviam estar.
5. Talvez não ____________ (*apanhar*) muito trânsito às horas a que saíram.

Oralidade 7

Exemplo:

Talvez a Xana já *esteja em casa.*
Talvez a Xana já ***tenha chegado a casa***. (*chegar a casa*)

1. É possível que ele *esteja ofendido* com o que eu lhe disse.
   É possível que ele ____________ (*ficar ofendido*) com o que eu lhe disse.
2. Espero que tu já *estejas pronta* quando eu chegar.
   Espero que tu já ____________ (*arranjar-se*) quando eu chegar.
3. Duvido que a conta já *esteja paga.*
   Duvido que eles já ____________ (*pagar a conta*).
4. Receio que a Milú *esteja fora.*
   Receio que a Milú ____________ (*ir para o estrangeiro*).
5. É provável que ela já *não esteja em casa.*
   É provável que ela já ____________ (*sair de casa*).

Oralidade 8

Exemplo:

Nunca fui lá, mas sei de quem já lá ***tenha ido***.

1. Nunca fiz isso assim, mas sei de quem já ____________.
2. Nunca joguei a esse jogo, mas sei de quem já ____________.
3. Nunca me dei mal com esse remédio, mas sei de quem já ____________.
4. Nunca experimentei esse prato, mas sei de quem já ____________.
5. Nunca tive problemas com ele, mas sei de quem já ____________.

Texto

A acção da Fundação Calouste Gulbenkian em Portugal tem contemplado diversos sectores, com especial incidência no campo da cultura artística, sendo a sua intervenção feita através da atribuição de subsídios que, se espera, contribuam de algum modo para a resolução de problemas, como sejam, instalações, equipamentos, carências e pessoal qualificado.

Deste modo, a Fundação tem como objectivo apoiar e desenvolver iniciativas no domínio da museologia, museografia, artes plásticas, história da arte, arqueologia, estética, música, bailado, teatro, cinema e actividades editoriais.

Centro de Arte Moderna

No Parque Calouste Gulbenkian, em Lisboa, foi criado o Centro de Arte Moderna constituído pelo Museu de Arte Moderna, o Centro de Documentação e Pesquisa e o Serviço de Animação, Criação Artística e Educação pela Arte (ACARTE).

Na secção portuguesa do Museu podem ver-se as obras de arte que a Fundação tem adquirido ou lhe têm sido doadas pelos próprios artistas ou seus familiares, ou ainda por coleccionadores.

Na secção estrangeira encontram-se obras de artistas que influenciaram ou trabalharam com pintores e escultores portugueses, obras de arte contemporânea inglesa (adquiridas pela delegação que a Fundação possui em Londres), obras de artistas arménios e também obras compradas pela Fundação àqueles artistas que aí realizaram exposições.

O Centro de Documentação e Pesquisa reúne documentação relativa à arte portuguesa desde 1911 aos nossos dias.

O ACARTE promove a colaboração entre compositores e intérpretes musicais, actores, coreógrafos, bailarinos, artistas plásticos e gráficos na criação de obras multidisciplinares, privilegiando, deste modo, a inovação, a experimentação e o desenvolvimento da criatividade.

— Vamos lá escrever!

Escrita 1

Onde é que no texto se diz que:

1. a Fundação desde sempre apoiou as artes.

   ____

2. os contributos que a Fundação faculta pretendem ajudar a solucionar diversos tipos de questões.

   ____

3. no Museu de Arte Moderna se exibem obras de artistas portugueses e estrangeiros.

   ____

4. as obras de arte que se encontram no Museu foram compradas pela Fundação ou oferecidas à mesma.

   ____

5. a criação de obras que englobem diferentes expressões artísticas é incentivada pelo ACARTE.

   ____

Escrita 2

Escreva de novo as frases, usando as palavras que estão entre parênteses e fazendo as alterações necessárias.

1. A Fundação Gulbenkian tem contemplado diversos sectores em Portugal. A sua intervenção é feita através da atribuição de subsídios. (*cujo*)

____

____

2. A Fundação tem comprado muitas obras, mas a maioria tem-lhe sido doada. (*embora*)

____

____

3. A Fundação tem como objectivo apoiar e desenvolver iniciativas no domínio das artes. (*não só... mas também*)

____

____

4. No caso de reconhecido talento, a Fundação concede bolsas de estudo tanto a estudantes como a diplomados e profissionais em início de carreira.(*se*)

____

____

5. A Fundação Calouste Gulbenkian é, provavelmente, a instituição privada que mais tem contribuído para a divulgação da língua e da cultura portuguesa no estrangeiro. (*É provável que*)

____

____

Escrita 3

agente	encenador
compositor	escultor
coreógrafo	maestro
dramaturgo	produtor
editor	realizador

Que nome se dá a quem...

1. ...compõe música?

____

2. ...dirige uma orquestra?

____

Áreas gramaticais/Estruturas

Pretérito mais-que-perfeito composto do conjuntivo

Condicional pretérito

Advérbios: **confortavelmente**

Diálogo

Xana: Se tivéssemos vindo mais cedo, nada disto teria acontecido.

Zeca: Pois não. Mas quem podia imaginar que a recepção do aldeamento fechasse às seis?

Milú: Devias ter pensado nessa possibilidade. Primeiro andámos uma hora às voltinhas até darmos com o sítio e agora estamos aqui, a estas horas da noite, com os carros carregados de malas e sem sabermos para onde ir.

Quim: Bom, acho que só temos duas hipóteses: ou dormimos nos carros ou vamos para um hotel.

....

Tó: Boa noite, minha senhora. Queríamos dois quartos duplos só para esta noite, por favor. Já agora, sabe dizer-me se a recepção do Jardim Paraíso está aberta ao domingo?

Recepcionista: Penso que não.

Tó: Bonito serviço! Nesse caso, marque mais uma noite, se não se importa. Se não tivéssemos feito já as marcações em Lisboa, até que preferia ficar a semana inteira neste hotel. Saía-nos mais em conta e tudo!

— Vamos lá falar!

Apresentação 1

A

Pretérito mais-que-perfeito composto do conjuntivo

- Forma-se com o verbo auxiliar ***ter*** no **imperfeito do conjuntivo** e o **particípio passado do verbo principal.**

B

Pretérito mais-que-perfeito composto do conjuntivo		
(eu)	tivesse	
(tu)	tivesses	falado
(você,ele,ela)	tivesse	feito
(nós)	tivéssemos	ido
(vocês, eles,elas)	tivessem	

C

Pretérito mais-que-perfeito composto do conjuntivo

Emprego

• Indica:
- uma acção passada anterior a outra também passada (1)
- uma acção passada não concretizada (2)

Oralidade 1

1. Tive pena que não **tivessem vindo** à festa.
2. Se **tivessem vindo**, tinham-se divertido bastante.

Oralidade 2

Exemplo: Gostei que eles ***tivessem ido*** (*ir*) connosco.

1. Foi pena que a viagem ____________ (*ser*) tão longa.
2. Preferia que o Zeca não ____________ (*reservar*) o apartamento no Jardim Paraíso.
3. Se não ____________ (*pagar*) já, íamos antes para um hotel.
4. Mesmo que não ____________ (*ter*) um furo, já não chegavam a horas.
5. Embora te ____________ (*avisar*), não quiseste acreditar em mim.

Oralidade 3

Eles tinham apanhado a recepção aberta se...

1. (*sair mais cedo de Lisboa*) ____________
2. (*não apanhar tanto trânsito*) ____________
3. (*não parar para beber café*) ____________
4. (*não ficar meia-hora à espera da Xana*) ____________
5. (*vir pela auto-estrada*) ____________
6. (*não ter um furo no pneu*) ____________

Oralidade 4

Exemplo: De avião, já tínhamos chegado.
Se tivéssemos ido de avião, já tínhamos chegado.

1. **Com calma,** tinhas resolvido o problema.
   ____
2. **Sem contratempos**, tinham chegado a horas.
   ____
3. **Com chuva**, o fim-de-semana tinha sido um fracasso.
   ____
4. **Sem trânsito**, tinham demorado menos.
   ____
5. **Sem a ajuda do polícia**, não tinham dado com o aldeamento.
   ____

Oralidade 5

Exemplo:

Comi muito e agora estou mal disposto. Quem me dera que *não tivesse comido tanto!*

1. Estudei pouco e o exame correu-me mal.
   Tomara que ______________________________!
2. Cortei o cabelo e já estou arrependida.
   Oxalá ______________________________!
3. Não vi o filme e afinal dizem que era óptimo.
   Quem me dera que ______________________________!
4. Deitei-me muito tarde e agora estou com dores de cabeça.
   Tomara que ______________________________!
5. Não fui com eles e afinal eles divertiram-se imenso.
   Oxalá ______________________________!

Apresentação 2

A

Condicional pretérito
• Forma-se com o verbo auxiliar ***ter*** no **condicional presente** e o **particípio passado** do verbo principal.

B

Condicional pretérito		
(eu)	teria	
(tu)	terias	acontecido
(você, ele, ela)	teria	dito
(nós)	teríamos	visto
(vocês, eles, elas)	teriam	

C

Condicional pretérito	
Emprego	Exemplo
Exprime uma acção que não chegou a realizar-se, porque a condição de que dependia não se verificou.	***Teriam encontrado*** a recepção aberta, se tivessem chegado mais cedo.

Oralidade 6

Exemplo:

Como tive tanto trabalho durante o fim-de-semana, não fui com vocês.
Se ***não tivesse tido tanto trabalho durante o fim--de-semana, teria ido com vocês.***

1. O tempo esteve péssimo. Por isso, não fomos à praia.
   Se____.
2. Como ela perdeu os documentos todos, não pôde viajar.
   Se____.
3. Ninguém me convidou. Por isso, não fui.
   Se____.
4. Como apanhámos muito trânsito, chegámos tardíssimo.
   Se____.
5. Ele deixou o casaco no carro. Por isso, roubaram-lho.
   Se____.

Oralidade 7

Exemplo:

Já não encontraram a recepção aberta, mas ***teriam encontrado*** se ***tivessem chegado mais cedo.***
(*chegar mais cedo*)

1. Não fui à praia, mas____________se____________. (*ter companhia*)
2. Eles perderam-se no caminho, mas______________se______________. (*consultar o mapa*)
3. Não passei no exame, mas____________se____________durante o ano. (*estudar*)
4. Não fomos à festa, mas____________se____________. (*convidar*)
5. Não telefonei para casa, mas________________se______________. (*poder*)
6. Não vi a Xana, mas______________se______________.(*ir para o Porto*)
7. Bati no seu carro, mas____________se_______________.(*fazer sinal*)
8. Eles sempre compraram a casa, mas_____________se______________. (*conseguir o empréstimo*)
9. Não soubeste fazer o exercício, mas_____________se______________ (*estar com atenção*)
10. Não me inscrevi no curso, mas_______________se_____________. (*acabar o prazo*)

Texto

As suas últimas férias foram um fracasso?
Se tivesse vindo connosco, nada disso teria acontecido.
Nós somos a agência de viagens que lhe proporciona

UMAS FÉRIAS DE SONHO!
FÉRIAS INESQUECÍVEIS!

AUTOFÉRIAS

consultar separata de preços

ALDEAMENTOS

De extraordinária qualidade e concepção, este aldeamento dispõe de apartamentos e moradias bem equipados e de luxuoso requinte. Piscina e restaurante são algumas das facilidades existentes a fim de proporcionar férias descansadas. Elevador privativo para praia com zona concessionada. Possibilidade de praticar desportos náuticos.

APARTAMENTOS

Um pequeno complexo de apartamentos confortavelmente mobilados, a cerca de 400 m da praia com transporte regular gratuito. Zonas verdes e jardins, piscina, supermercado, parque infantil. Apartamentos de um (T1), dois (T2) ou três (T3) quartos, com cozinha, sala de estar com lareira, varanda ou terraço.

HOTÉIS

Confortável e requintada unidade hoteleira, com vistas deslumbrantes sobre o mar, oferece-lhe óptimo serviço e bem-estar. Todos os quartos estão equipados com telefone, TV a cores, rádio, mini-bar e casa de banho privativa. Dispõe ainda de duas piscinas, uma coberta e outra exterior, restaurantes, bares, discoteca, ginásio, sauna e quatro campos de ténis.

CONDIÇÕES GERAIS

Inscrições: No acto da reserva deverá ser efectuado um depósito de 25%, sendo os restantes 75% liquidados até 20 dias antes do início dos serviços.

Cancelamentos: Encargos
. até 30 dias antes do início dos serviços — isento de gastos;
. entre 29 e 15 dias antes do início dos serviços — 25% do valor total;
. entre 14 e 8 dias antes do início dos serviços — 50% do valor total;
. entre 7 a 3 dias antes do início dos serviços — 75% do valor total;
. menos de 3 dias ou não comparência — valor total dos serviços.

Mudanças: Sempre que um programa esteja reservado para determinada data e localidade e se desejar mudar a reserva, deverá pagar 1000$00 de despesas de alteração. No entanto, quando a mudança for solicitada com um mínimo de 14 dias de antecedência, será considerada como anulação.

A inscrição em qualquer destes programas implica a adesão total do cliente às condições gerais acima mencionadas.

— Vamos lá escrever

Escrita 1

Das alternativas apresentadas, qual é a que, em significado, melhor se aproxima da palavra sublinhada?

1. De extraordinária qualidade e concepção (...)
   a) compreensão b) conceito c) criação

2. (...) praia com zona concessionada.
   a) privilegiada b) permitida c) proibida

3. (...) óptimo serviço e bem-estar.
   a) descanso b) felicidade c) comodidade

4. Dispõe (...) de duas piscinas, (...)
   a) projecta b) possui c) proporciona

5. (...) uma coberta e outra exterior, (...)
   a) encoberta b) abrigada c) tapada

Escrita 2

Das alternativas apresentadas, qual é a que, em significado, melhor se opõe à palavra sublinhada?

1. (...) férias descansadas.
   a) cansadas b) agitadas c) quietas

2. (...) casa de banho privativa.
   a) colectiva b) pública c) particular

3. Um pequeno complexo de apartamentos (...)
   a) alto b) largo c) vasto

4. (...) com transporte regular (...)
   a) imprevisto b) esporádico c) casual

5. Zonas verdes (...)
   a) áridas b) despovoadas c) ajardinadas

Escrita 3

Os cinco amigos passaram umas curtas férias no aldeamento Jardim Paraíso. Era um pequeno complexo turístico com preços muito atraentes. Só que, de facto, a semana não lhes correu como tinham imaginado.

Se não tivessem ido para o Jardim Paraíso, não...

. recepção fechada no 1.º dia ____________________
. mal instalados ____________________
. 5 Km a pé até à praia ____________________
. doentes com a comida ____________________
. férias agitadas ____________________

Se tivessem escolhido o aldeamento do texto, ...

. moradia bem equipada ____________________
. férias descansadas____________________
. desportos náuticos ____________________

Se tivessem optado pelo hotel, ...

. quarto com vista sobre o mar____________________
. ginástica ____________________
. ténis____________________

Se tivessem preferido o complexo de apartamentos, ...

. perto da praia____________________
. refeições em casa ____________________
. equitação ____________________

Escrita 4

Complete o seguinte texto com preposições, contraindo-as sempre que necessário:

Hotel_______grande tradição situado_________ a falésia,_____ magníficas vistas __________ a praia e ______a marina,_________ 3Km ________ coração ________ cidade e_____1Km ________ centro nocturno.

Todos os quartos dispõem______casa______ banho privativa, telefone, cofre e terraço. Amplos salões, restaurante, piano-bar.

Possibilidades_______ praticar desportos náuticos. Animação várias vezes_____ semana.

Escrita 5

Verbo	Substantivo	Adjectivo
	o equipamento	
mobilar		
	a cobertura	
		descansado
atrair		
	a reserva	
		depositado
	a anulação	
		cancelado
inscrever		

Sumário

Objectivos funcionais

Expressar alternativa	«(...) ou dormimos nos carros ou vamos para um hotel.»
Expressar ironia	«Bonito serviço!»
Expressar perplexidade	«Mas quem podia imaginar (...)?»
Formular hipótese de irrealidade sobre acções passadas	«Se tivéssemos vindo mais cedo, nada disto teria acontecido.»
Lamentar um facto que aconteceu no passado	«Quem me dera que não tivesse comido tanto!»

Vocabulário

Substantivos e adjectivos:

	abrigado (adj.)		coberto (adj.)		esporádico (adj.)	o	parque infantil
o	acto	o	cofre	as	facilidades		permitido (adj.)
a	adesão		colectivo (adj.)	a	falésia	o	piano-bar
a	agência de viagens	a	comodidade	a	felicidade	o	pneu
	ajardinado (adj.)	a	comparência	o	fracasso		privativo (adj.)
o	aldeamento	o	complexo		gratuito (adj.)		privilegiado (adj.)
a	alteração	a	compreensão		imprevisto (adj.)	o	quarto duplo
a	animação	o	conceito		instalado (adj.)		quieto (adj.)
a	anulação	o	contratempo		isento (adj.)	o	rádio
	árido (adj.)		depositado (adj.)		luxuoso (adj.)		requintado (adj.)
	atraente (adj.)		descansado (adj.)	o	mapa	o	requinte
as	autoférias		deslumbrante (adj.)	a	marina	o	restante
o	bem-estar		despovoado (adj.)	o	mini-bar	a	sauna
a	calma	a	discoteca		mobilado (adj.)	a	separata
o	campo de ténis	o	encargo	a	moradia	o	sonho
	cancelado (adj.)		encoberto (adj.)	a	mudança		tapado (adj.)
o	cancelamento		equipado (adj.)		náutico (adj.)	a	unidade hoteleira
	carregado (adj.)	a	equitação	o	paraíso		

Expressões:

andar às voltinhas	Bonito serviço!		

Verbos:

dispor	mobilar	optar	
liquidar	mudar	solicitar	

UNIDADE 14

«Uma camioneta (...) ter-se-á despistado ao fazer uma curva (...)»

Áreas gramaticais/Estruturas

Futuro perfeito do indicativo

Condicional pretérito

Advérbios:	**altamente, apressadamente, clandestinamente**
Locuções adverbiais:	**ao certo, por acaso**
Locuções conjuncionais:	**já que**
Preposições:	**segundo**

Diálogo

Tó: «Uma camioneta que transportava 66 jovens regressados de um festival, ter-se-á despistado ao fazer uma curva, numa auto-estrada do Nordeste do Brasil, e terá causado a morte a, pelo menos, 35 deles, informou ontem a polícia.»

Zeca: O que é que teria motivado o acidente?

Tó: Segundo um dos sobreviventes, o motorista teria adormecido ao volante, embora a polícia afirme que este estava embriagado.

Quim: E o motorista sobreviveu?

Tó: Não. Foi uma das vítimas mortais.

Zeca: Coitado!

Tó: Coitadas é das pessoas que não tiveram culpa nenhuma. Além dos mortos, há mais 21 feridos, 10 deles em estado grave.

Zeca: Não digo que não, mas sabes muito bem que estas profissões são cansativas, porque os motoristas conduzem muitas horas seguidas.

Quim: Talvez tivesse sido esse o caso. Depois da autópsia, logo se saberá se foi cansaço ou se foi álcool.

— Vamos lá falar!

Oralidade 1

Exemplo: Se calhar foi esse o caso.
Talvez *tivesse sido esse o caso.*

1. Se calhar o motorista adormeceu.
   Talvez ______________________________.
2. Se calhar ele tinha bebido.
   Talvez ______________________________.
3. Se calhar rebentou um pneu.
   Talvez ______________________________.
4. Se calhar os travões falharam.
   Talvez ______________________________.
5. Se calhar partiu-se a direcção.
   Talvez ______________________________.
6. Se calhar deu mal a curva.
   Talvez ______________________________.
7. Se calhar fez uma manobra perigosa.
   Talvez ______________________________.

8. Se calhar ficou encandeado com os faróis de outro carro.
   Talvez ______________________________.
9. Se calhar sentiu-se mal.
   Talvez ______________________________.
10. Se calhar nem teve culpa nenhuma.
   Talvez ______________________________.

Apresentação 1

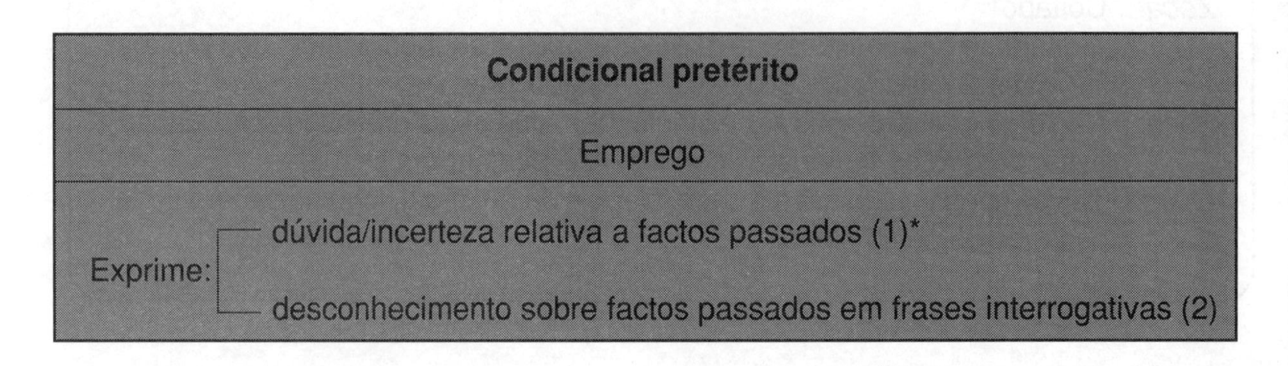

Condicional pretérito
Emprego
Exprime: dúvida/incerteza relativa a factos passados (1)* desconhecimento sobre factos passados em frases interrogativas (2)

N. B.: *Estrutura típica da linguagem jornalística quando não se tem a certeza da veracidade dos factos.

Oralidade 2

1. Segundo um dos sobreviventes, o motorista teria adormecido ao volante.
2. O que é que teria motivado o acidente?

Oralidade 3

Segundo uma testemunha ocular, que ***teria presenciado*** *(presenciar)* o assalto à dependência bancária, ...

1. ... um dos assaltantes ____________ *(ameaçar)* os empregados do banco com uma arma.
2. Posteriormente, ____________ *(meter)* num saco todo o dinheiro da caixa.
3. ____________ *(agredir)* um cliente do banco na cabeça que tentou oferecer resistência.
4. Em seguida, os três ladrões ____________ *(dirigir-se)* para a porta, onde um quarto elemento os aguardava.
5. ____________ *(utilizar)* uma carrinha branca no assalto, que, mais tarde, se provou que tinha sido roubada.

Oralidade 4

Exemplo:

> Não sei se eles já chegaram.
> ***Já teriam chegado?***

1. Não sei quem é que teve a culpa do acidente.
   ____?
2. Não sei se já apanharam os ladrões.
   ____?
3. Não sei quem é que me telefonou ontem à noite.
   ____?
4. Não sei aonde é que a Milú foi àquelas horas da noite.
   ____?
5. Não sei quem é que ganhou a corrida dos 10.000 metros.
   ____?
6. Não sei se choveu no Norte.
   ____?
7. Não sei o que é que aconteceu ali na esquina.
   ____?
8. Não sei se o motorista da camioneta se salvou.
   ____?
9. Não sei quem é que abriu esta porta.
   ____?
10. Não sei porque é que ele lhe disse aquilo.
   ____?

Apresentação 2

Futuro perfeito do indicativo
•Forma-se com o verbo auxiliar **ter** no **futuro imperfeito do indicativo** e o **particípio passado do verbo principal.**

B

	Futuro perfeito do indicativo	
(eu)	terei	
(tu)	terás	falado
(você, ele, ela)	terá	lido
(nós)	teremos	visto
(vocês, eles, elas)	terão	

C

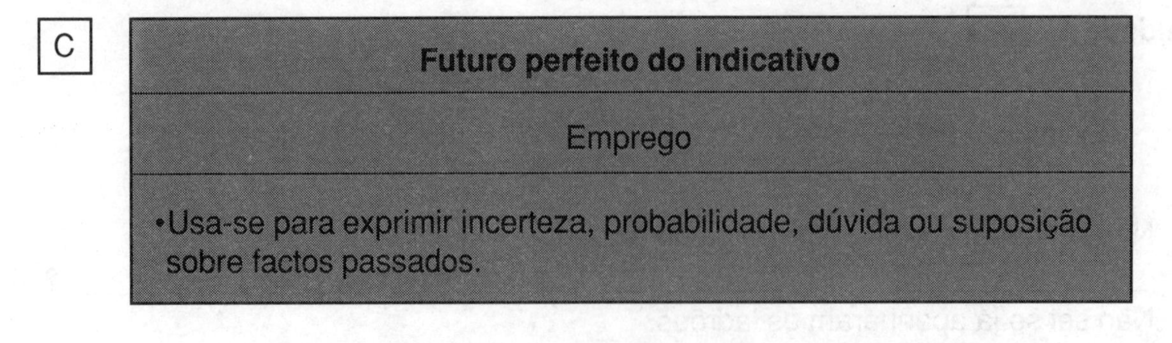

Futuro perfeito do indicativo

Emprego

• Usa-se para exprimir incerteza, probabilidade, dúvida ou suposição sobre factos passados.

N. B.: Emprego equivalente ao do condicional pretérito, embora este último acentue mais a dúvida/incerteza.

Oralidade 5

1. Uma camioneta ter-se-á despistado ao fazer a curva.
2. O motorista terá adormecido?

Oralidade 6

Exemplo: Não se sabe ao certo o que ***terá acontecido.*** (*acontecer*)

1. Supõe-se que eles já ______________ (*deixar*) o país.
2. Provavelmente um dos funcionários ______________ (*oferecer*) resistência.
3. Alguém disse que o motorista______________ (*sentir-se*) mal.
4. Desconhece-se quem ______________ (*roubar*) o carro.
5. Não se sabe ao certo qual ______________ (*ser*) o montante do roubo.
6. Pensa-se que os assaltantes ______________ (*levar*) mais de cem mil contos.
7. Alguém ______________ (*ver*) a carrinha roubada junto da fronteira.
8. Pensa-se que os ladrões já______________ (*fugir*) para Espanha.
9. Uma testemunha afirmou que os ladrões ______________ (*usar*) máscaras.
10. Supõe-se que uma quadrilha internacional ______________ (*planear*) o assalto.

Oralidade 7

Exemplo: Nunca mais chegam.
Terão perdido o comboio? (*perder/comboio*)

1. Nunca mais a vi.
______________________________? (*ir/estrangeiro*)

2. Eles já estão em casa.
____ ? (*a que horas/chegar*)
3. Estou à espera da Milú há mais de meia hora.
____ ? (*o que/acontecer*)
4. A máquina não está a funcionar
____ ? (*quem/avariar*)
5. Ela sentiu-se mal.
____ ? (*o que/comer*)
6. Ele presenciou o acidente.
____ ? (*oferecer-se/testemunha*)
7. O Tó ainda não veio.
____ ? (*aonde/ir*)
8. O Quim foi falar com a Xana.
____ ? (*encontrar/casa*)
9. Está muita gente ali ao fundo.
____ ? (*haver/acidente*)
10. Ele disse que, se pudesse, ia comprar os bilhetes.
____ ? (*ter/tempo*)

Texto

Casal foi apanhado a viajar de «borla»

Um jovem casal, detido ontem pela P. S. P. (Polícia de Segurança Pública) no aeroporto da Portela, ter-se-á introduzido no porão de um avião da TAP e terá viajado clandestinamente, segundo dizem, até à capital francesa e voltado sem nunca ser detectado.

Um funcionário da A. N. A. (Aeroportos e Navegação Aérea) referiu que o casal teria confessado que conseguira introduzir-se nas áreas reservadas escalando a rede, facto que parece pouco verosímil, já que a rede comporta mais de três metros de altura e tem arame farpado na extremidade.

Para os responsáveis da segurança, o casal terá entrado nas instalações do aeroporto «com a conivência de outras pessoas que ali trabalham». O caso, sem precedentes, passará para a P. J. (Polícia Judiciária).

49 anos, sucessor do golpista Iasov, começou também a romper com a hierarquia empedernida do exército. O antigo piloto de caças demitiu dos postos de comandante as altas individualidades simpatizantes da Junta, apresentou o chefe do Estado-Maior, Michail Moiseiev, e o general Nikolai Chlaga, despediu a maior parte dos vice-ministros, e nomeou novos chefes para as divisões das Forças Armadas bem como para os círculos militares.

Quando um historiador na televisão estabeleceu um pa-

Nairn, da revista *New Yorker*, estiveram internados.

Mostrando-se profundamente chocada com as «cenas horríveis» a que assistiu, Amy Goodman afirmou-se convencida de que «os militares estavam ali com ordens concretas. Não se tratou de uma confrontação que muitas vezes começa por um pequeno incidente e acaba num banho de sangue. Os militares indonésios sabiam o que iam fazer, pois marchavam em formação quando, de repente, abriram fogo sobre os timorenses».

lecto escravo ou as atitudes racistas que indignaram mui

Popular capturou autor de furto

Um indivíduo de 27 anos de idade, que furtara a mala a uma cidadã sueca pelo método de estição, numa artéria da cidade de Olhão, foi capturado por um popular que o entregou às autoridades policiais.

Ao que parece, o larápio terá furtado a mala à mulher quando esta se encontrava numa paragem de camionetas. Apanhado em flagrante delito, não ofereceu resistência e o montante do furto foi totalmente recuperado.

Família Real veraneou no Algarve

Membros da família real norueguesa estiveram em Albufeira para um curto período de repouso.

Ao que parece, terão alugado uma «*suite*» no hotel de um aldeamento turístico daquela localidade.

Na segunda-feira, existiam indicações de que teriam partido para Espanha, notícia posteriormente desmentida pelas autoridades espanholas.

Entretanto, jornalistas portugueses detectaram, ontem, membros da família real com a sua comitiva em Albufeira a fazer compras e a apreciar as belezas paisagísticas e variedades gastronómicas da região.

Segundo uma fonte hoteleira, a família terá abandonado o complexo turístico a meio da manhã de hoje, rumo a destino desconhecido.

Era emigrante portuguesa a jovem assassinada na África do Sul

Assaltantes estrangularam uma jovem emigrante portuguesa que estendia roupa no quintal de casa de seus pais, nos arredores da capital.

A jovem de 20 anos foi surpreendida por indivíduos, cujo móbil terá sido o roubo, fundamentado no desaparecimento de objectos de ouro.

A polícia, que foi alertada por um dos vizinhos, por acaso primo da jovem, desconfiado com a saída apressada de três negros da casa da vítima, adiantou que a rapariga não terá sido violada pelos assaltantes.

Promoção de um diálogo nacional para estabilizar a Nicarágua

O EXECUTIVO da Presidente Violeta Chamorro e os 14 partidos da coligação que a levou ao Poder — a União Nacional Opositora UNO — concordaram em convocar «um diálogo nacional» para estabilizar a Nicarágua, na sequência dos recentes distúrbios no país, durante os quais «os contras» voltaram a empunhar armas contra os sandinistas. Um dos pontos centrais do acordo propõe que os líderes da UNO convoquem o mais rapidamente possível esse diálogo.

Prisioneiros de guerra iranianos já foram libertados pelo Iraque

Formação das nov

Durão Bar

Aguiar dos Santos

Correspondente em Luanda

Durão Barroso adiou de ontem para hoje a sua visita à cidade de Huambo, no centro de Angola, devido ao mau tempo.

O «FOKKER 25» das linhas aéreas angolanas que devia transportar o secretário de Estado dos Negócios Estrangeiros português não pôde aterrar na cidade de Huambo, onde Durão Barroso deveria ter assistido ontem à chegada dos 23 militares por-

— Vamos lá escrever!

Escrita 1

Escolha, de entre várias, a hipótese mais correcta.

1.º Artigo

1. O jovem casal foi apanhado por

   a) seguranças do aeroporto b) funcionários do aeroporto c) agentes da Polícia

2. O casal terá viajado clandestinamente

   a) até Paris b) de Paris para Lisboa c) de Lisboa para Paris e vice-versa

3. Segundo os responsáveis da segurança, o casal ter-se-á introduzido nas áreas reservadas

   a) por escalamento b) por arrombamento c) por outros meios

4.º Artigo

1. A jovem emigrante portuguesa morreu

   a) asfixiada b) de ataque de coração c) com a pancada

2. Os assaltantes foram capturados, porque

   a) a rapariga ainda teve tempo de chamar a polícia

   b) um polícia ia a passar no momento em que os três indivíduos saíam apressadamente

   c) um familiar achou estranho a saída apressada dos três negros

Escrita 2

Das alternativas apresentadas, qual é a que, em significado, melhor se aproxima da palavra sublinhada?

2.º Artigo

1. (...) <u>curto</u> período de repouso.

   a) comprido b) baixo c) pequeno

2. (...) jornalistas portugueses _detectaram_ (...)

   a) encontraram b) viram c) apanharam

3. (...) a família terá _abandonado_ (...)

   a) abdicado b) deixado c) desistido

3.º Artigo

1. (...) que _furtara_ a mala de mão (...)

   a) tirara b) apanhara c) roubara

2. (...) numa _artéria_ da cidade (...)

   a) praça b) rua c) esquina

3. (...) capturado por um _popular_ (...)

   a) transeunte b) turista c) funcionário

4. (...) o _larápio_ terá furtado (...)

   a) ladrão b) indivíduo c) assaltante

5. Apanhado _em flagrante delito_ (...)

   a) no acto b) a fugir c) com o furto

Escrita 3

1. O jovem casal viajou clandestinamente até Paris sem nunca ser detectado.

   O jovem casal viajou clandestinamente até Paris sem que____________________

2. O jovem confessou que entrou por escalamento, mas os responsáveis pela segurança do aeroporto afirmaram que isso não era possível.

   Embora____________________

3. Provavelmente ter-se-ão introduzido nas áreas reservadas do aeroporto por outros meios.

   É provável que ____
   ____
   ____
   ____

4. «Vi três indivíduos de raça negra a sair apressadamente, facto que me deixou altamente desconfiado e, por isso, resolvi alertar a polícia», disse um dos vizinhos da vítima.

   Um dos vizinhos da vítima disse que ____
   ____
   ____
   ____

5. A polícia recuperou o montante do furto na totalidade.

   O montante do furto ____
   ____
   ____
   ____

Escrita 4

Imagine que tinha que escrever um artigo para o jornal sobre um acidente de viação ocorrido com um automóvel ligeiro e um camião e do qual resultaram alguns feridos. Refira, para isso, os seguintes pontos:

— hora e local do acidente;
— descrição do mesmo;
— versões das testemunhas;
— actuação da polícia;
— possíveis causas do acidente;
— consequências do mesmo: estado das vítimas (condutores e passageiros) e dos veículos.

____
____
____
____
____
____
____

Sumário

Objectivos funcionais

Exprimir desconhecimento sobre factos passados	«O que é que teria motivado o acidente?» «Terão perdido o comboio?»
Exprimir incerteza sobre factos passados	«(...) o motorista teria adormecido ao volante (...)»
	«Uma camioneta (...) ter-se-á despistado ao fazer uma curva (...)»

Vocabulário

Substantivos e adjectivos:

	A. N. A. (Aeroportos e Navegação Aérea)		bancário (adj.)	o	móbil	a	quadrilha
a	África do Sul	a	carrinha	o	montante	o	quintal
	Albufeira	o	cidadão	o	morto	a	raça
o	álcool	a	comitiva	o	negro	a	rede
	apressado (adj.)	o	condutor	o	Nordeste	o	repouso
o	arame farpado	a	conivência	o	norueguês		reservado (adj.)
a	arma		desconfiado (adj.)		ocular (adj.)	o	responsável
o	arrombamento	a	extremidade		Olhão	o	rumo
a	artéria	o	familiar	a	P. J. (Polícia Judiciária)		seguido (adj.)
	asfixiado (adj.)	o	farol	a	P.S.P. (Polícia de Segurança Pública)	o	segurança
o	assaltante	o	ferido		paisagístico (adj.)	o	sobrevivente
	assassino (adj.)	o	furto	a	pancada	a	testemunha
o	ataque		gastronómico (adj.)	o	passageiro	a	totalidade
a	autópsia		hoteleiro (adj.)		policial (adj.)	a	variedade
a	autoridade	a	indicação	o	porão	o	veículo
		o	larápio				verosímil (adj.)
		o	membro			a	versão
						o	volante

Expressões:

achar estranho	de borla	ter culpa	vice-versa

Verbos:

abandonar	avariar	escalar	recuperar
abdicar	capturar	estrangular	salvar-se
adiantar	comportar	fugir	sobreviver
adormecer	confessar	fundamentar	supor
agredir	desmentir	furtar	veranear
aguardar	despistar	introduzir-se	violar
alertar	detectar	motivar	
ameaçar	deter	presenciar	

Áreas gramaticais/Estruturas

Futuro perfeito do indicativo

Infinitivo pessoal composto

Expressões idiomáticas

Advérbios:	**francamente, perfeitamente, rigorosamente, seguidamente**
Locuções prepositivas:	**ao longo de, de acordo com**
Locuções conjuncionais:	**sem que**

Diálogo

Xana: Aqui há uns tempos fui ver uma exposição de azulejos de Maria Keil que estava patente na Galeria Municipal de Vila Franca de Xira.

Zera: Maria Keil? Acho que nunca ouvi falar.

Xana: De facto, só 30 anos depois de se ter iniciado na arte do azulejo é que o seu trabalho foi reconhecido.

Zeca: O quê? Ela já pinta azulejos há tanto tempo?

Xana: Nem mais. Começou em 1958 e, para tua informação, existem já 11 estações de metro em Lisboa decoradas por ela.

Quim: Agora que o seu talento é mais do que consagrado, encomendas é que não lhe faltam. Tal como a própria artista diz «o azulejo é sempre feito para revestir paredes».

Xana: Tem neste momento em mãos a criação de um painel de azulejos que irá embelezar a cidade. De acordo com o contrato, tê-lo-á terminado antes do fim do ano.

— Vamos lá falar!

Apresentação 1

Expressões idiomáticas	
ter em mãos	estar a fazer alguma coisa em dado momento
falar pelos cotovelos	diz-se de pessoa muito faladora
não pregar olho	não conseguir dormir
fazer ouvidos de mercador	fingir não ouvir
ter a barriga a dar horas	ter fome
meter os pés pelas mãos	contradizer-se
dar o braço a torcer	admitir o erro
ter as costas quentes	sentir-se protegido
não ter papas na língua	falar francamente e sem rodeios
fazer má cara	mostrar-se contrariado, descontente
ficar de pé atrás	ficar desconfiado

Oralidade 1

1. Neste momento, a Xana está a trabalhar num projecto para um grande centro comercial.

   Neste momento, a Xana tem em mãos um projecto para um grande centro comercial.

2. Quando se lhe pede algum favor, ele mostra-se sempre aborrecido.

3. Já passa das duas e ainda não almocei. Estou cheio de fome.

4. Seja a quem for, o Tó diz tudo o que tem a dizer sem rodeios.

5. Quando lhe perguntei o que tinha acontecido, o rapaz atrapalhou-se e não disse coisa com coisa.

6. Sempre que há discussões, o Quim nunca admite que os outros possam ter razão.

7. O pai da Teresa é o administrador da empresa onde ela trabalha. Por isso, ela sente-se protegida para tomar certas atitudes.

8. Quando o assunto não lhe interessa, o Zeca finge que não é nada com ele.

9. Ontem estive mais de meia hora ao telefone com a mãe da Xana. É uma senhora que adora conversar.

10. Ontem à noite, os meus vizinhos de cima estiveram a festejar não sei o quê. Só te digo que mal consegui dormir, com aquela barulheira toda até às tantas da manhã.

11. Ao ler o anúncio fiquei logo desconfiado: falam de grandes ordenados, mas não dizem qual é o trabalho. Acho que nem vou responder.

Apresentação 2

Infinitivo pessoal composto
•Forma-se com o verbo auxiliar ***ter*** no **infinitivo pessoal simples** e o **particípio passado do verbo principal.**

B

Infinitivo pessoal composto	
Emprego	Exemplo
•Indica uma acção concluída anteriormente à acção expressa pelo verbo da oração principal.	30 anos depois de se ter iniciado na arte do azulejo, é que o seu trabalho foi reconhecido.

Oralidade 2

Exemplo: Depois de ***teres lido*** (*ler*) o livro, empresta-mo.

1. Apesar de eles ____________ (*atrasar-se*), ainda conseguiram entrar.
2. Viajaram clandestinamente sem nunca ____________ (*detectar*).
3. No caso de a Xana já ____________ (*acabar*) o trabalho, podemos sair.
4. Depois de ____________ (*fazer*) as compras, vem ter comigo.
5. Até vocês ____________ (*resolver*) o problema, não lhe contem nada.

Oralidade 3

Exemplo: Lamento que não tenhas podido ver a exposição de Maria Keil.
Lamento ***não teres podido ver a exposição de Maria Keil.***

1. Sem que nunca tenhas visto o filme, não podes dizer se é bom ou mau.
   Sem ______________________________

2. Embora eles tenham sido convidados, não quiseram ir.
   Apesar de ______________________________

3. Sem que tenham completado o curso, não podem ser admitidos.
   Sem ______________________________

4. Embora o artista tenha feito algumas exposições, é da opinião que os azulejos só servem para revestir paredes.
   Apesar de ______________________________

5. Caso ainda não tenhas falado com a Milú, é melhor fazê-lo antes que ela parta em viagem.
   No caso de ______________________________

6. Receio bem que já não tenham chegado a tempo.
   Receio bem ______________________________

7. Espero que tenha fechado a porta à chave quando saí de casa.
   Espero ______________________________

8. É provável que o tenham conhecido na festa.
   É provável ______________________________

9. Foi pena que não tivesse sido informado do sucedido.
   Foi pena ______________________________

10. Bastava que me tivesses telefonado que eu vinha buscar-te.
    Bastava ______________________________

Apresentação 3

Futuro perfeito do indicativo	
Exemplo	Emprego
• Indica uma acção futura, anterior a outra acção também futura.	Quando chegares eu já terei acabado o trabalho.
Formação — ter (futuro) + p. passado	

Oralidade 4

1. Dentro de uma semana eu já__________ *(receber)* as informações que me pediu.
2. Até ao fim do ano, Maria Keil__________ *(terminar)* o painel que lhe foi encomendado.
3. Amanhã a estas horas, a Milú já__________ *(chegar)* ao Rio de Janeiro.
4. Daqui a dois anos, já nós __________ *(recuperar)* o capital investido.
5. As notas do exame já __________ *(sair)* quando as férias começarem.

Oralidade 5

Exemplo:

(eu) / ler livro
Até amanhã já ***terei lido o livro.***

1. (eles) / casar-se
   Amanhã a estas horas__________________________.
2. (ela) / gastar ordenado
   Até ao dia 15 __________________________.
3. (eu) / conseguir vender apartamento
   No final do mês __________________________.
4. (nós) / terminar projecto
   Daqui a um ano __________________________.
5. (ele) / fazer trabalho
   Até ao fim da semana __________________________.
6. (eles) / partir Brasil
   Daqui a um mês __________________________.
7. médico / ir-se embora
   Por volta das oito __________________________.
8. reunião /acabar
   À hora do almoço__________________________.
9. (eu) / acabar curso
   Daqui a quatro anos __________________________.
10. (nós) / visitar províncias Portugal
    Até ao fim do ano__________________________.

Oralidade 6

Exemplo:

(nós) chegar a casa / (ela) arrumar tudo
Quando chegarmos a casa, ela terá tudo arrumado.

1. Milú voltar / nascer bebé

   ____

2. (tu) levantar-se / (eu) pôr tudo em ordem

3. ser 19:00 / assinar acordo

4. (eles) regressar de férias / terminar obras

5. ser 13:30 / partir avião

6. Inverno começar / (nós) mudar de casa

7. (ele) acordar / (eu) fazer compras todas

8. ser 15:00 / inaugurar fábrica

9. (eu) ter 50 anos / meus filhos acabar curso

10. ser meio-dia / chamar o senhor

Texto

A arte do azulejo — palavra derivada do árabe *al-zu-leycha* que significa «pequena pedra» — é uma herança da cultura islâmica deixada aos povos da Península Ibérica após a Reconquista Cristã.

No início do século XVI, Portugal vive uma grande prosperidade económica em consequência dos Descobrimentos e da expansão: entra-se num período de construção de igrejas e palácios. Os azulejos, importados de Espanha, deixam de ser suficientes e assiste-se ao início de uma produção nacional, primeiro copiada dos antigos modelos existentes, seguidamente desenvolvendo uma nova técnica que consiste em pintar sobre a superfície lisa do azulejo.

O azulejo evolui assim para um papel cada vez mais decorativo, cobrindo paredes inteiras, no interior dos edifícios.

No final do século XVII, predomina o gosto pelo azulejo azul e branco, influenciado pela cerâmica chinesa, retratando motivos sagrados ou profanos tais como as batalhas da guerra da Independência. Os painéis historiados vão dominar o século XVIII demonstrando a apurada qualidade técnica dos artistas, capazes de fazer desenhos minuciosos e dominando perfeitamente as técnicas de fabrico.

O período das guerras napoleónicas coincide com uma grave crise económica à qual se faz frequentemente corrresponder uma decadência da arte do azulejo. Com efeito, a produção pára praticamente e só será retomada após a assinatura do tratado de comércio entre Portugal e o Brasil. Trata-se então de satisfazer uma nova clientela burguesa que cobre as fachadas das suas residências de azulejos, dando cor às ruas escuras. Esta tendência reforça-se ao longo dos séculos XIX e XX; o azulejo só muito raramente volta a figurar nas igrejas ou salões particulares, é antes colocado do lado de fora, acessível a todos. São os edifícios públicos — estações de comboio, mercados, lojas — que proporcionaram aos artistas a possibilidade de exercer a sua inspiração no século XX.

— Vamos lá escrever!

Escrita 1

Usando as suas próprias palavras, faça um resumo do texto, dando realce ao papel do azulejo no decorrer dos séculos.

Século XVI

___

___

___

Século XVII

Século XVIII

Século XIX

Século XX

Escrita 2

Das alternativas apresentadas, qual é a que, em significado, melhor se aproxima da(s) palavra(s) sublinhada(s)?

1. (...) herança (...) *deixada* aos povos da Península Ibérica (...)

   a) confiada

   b) transmitida

   c) dada

2. Os azulejos (...) *deixam de ser* suficientes (...)

   a) são

   b) ainda são

   c) já não são

3. (...) sobre a superfície *lisa* do azulejo

   a) polida

   b) plana

   c) rasa

4. Os painéis <u>*historiados*</u> vão dominar o século XVIII (...)

   a) muito trabalhados

   b) religiosos

   c) biográficos

5. (...) a <u>*apurada*</u> qualidade técnica (...)

   a) correcta

   b) aperfeiçoada

   c) melhorada

Escrita 3

Substitua a parte sublinhada pelo adjectivo correspondente.

1. fachadas <u>*plenas de cor*</u> — ***coloridas***
2. arte de <u>*muitos séculos*</u> ____________
3. período <u>*de grande prosperidade*</u> ____________
4. clientela <u>*da burguesia*</u> ____________
5. construção <u>*de palácios*</u> ____________
6. autoridades <u>*da igreja*</u> ____________
7. estação <u>*de caminho-de-ferro*</u> ____________
8. castelos <u>*da Idade Média*</u> ____________
9. tratado <u>*entre Portugal e o Brasil*</u> ____________
10. guerras <u>*comandadas por Napoleão*</u> ____________
11. crise <u>*no sector da economia*</u> ____________
12. Reconquista <u>*levada a cabo pelos reinos cristãos*</u> ____________
13. produção <u>*do país*</u> ____________
14. herança <u>*deixada pelos povos do Islão*</u> ____________
15. povos <u>*da Península Ibérica*</u> ____________

Escrita 4

Ponha os verbos entre parênteses na forma correcta.

A fábrica de Santa Ana, ____________ *(construir)* em 1860, ____________ *(encontrar-se)* num local onde ____________ *(existir)*, já no século XVIII, antigas olarias.

Há cerca de 50 anos______________(*transplantar*) da Lapa para a Calçada da Boa Hora, onde______________ (*encontrar-se*) actualmente. Esta empresa______________ (*trabalhar*) rigorosamente segundo os métodos antigos.______________ (*especializar-se*) no restauro e na cópia de modelos antigos, painéis e louça. Muitos artistas nela ______________ (*colaborar*) durante o século XX______________ (*apresentar*) frequentemente desenhos originais que a fábrica______________ (*efectuar*) sob a forma de painéis, graças aos seus próprios pintores. Os pintores de azulejos______________ (*receber*) a sua formação quer na Escola de Belas-Artes quer na própria fábrica, de acordo com a tradição artesanal.

Sumário

Objectivos funcionais

Falar de acções concluídas anteriormente a outras	«(...) 30 anos depois de se ter iniciado na arte do azulejo é que o seu trabalho foi reconhecido.»
	«Depois de teres lido o livro, empresta-mo»
Falar de acções futuras anteriores a outras também futuras	«(...) tê-lo-á terminado antes do fim do ano.»
Responder afirmativamente	«Nem mais.»

Vocabulário

Substantivos e adjectivos:

acessível (adj.)	confiado (adj.)	a herança	o palácio
o acordo	contrariado (adj.)	historiado (adj.)	o papel
o administrador	a cópia	a Idade Média	a Península Ibérica
aperfeiçoado (adj.)	copiado (adj.)	importado (adj.)	plano (adj.)
apurado (adj.)	a crise	a independência	polido (adj.)
artesanal (adj.)	cristão (adj.)	a inspiração	profano (adj.)
a atitude	a decadência	investido (adj.)	a prosperidade
a barulheira	descontente (adj.)	o Islão	protegido (adj.)
a batalha	a discussão	islâmico (adj.)	raso (adj.)
biográfico (adj.)	a economia	a louça	a reconquista
burguês (adj.)	a Escola de Belas-	melhorado (adj.)	religioso (adj.)
a burguesia	-Artes	o método	o restauro
a Calçada da Boa Hora	a expansão	minucioso (adj.)	a superfície
o capital	a fachada	napoleónico (adj.)	a técnica
o centro comercial	a Galeria Municipal	a olaria	a tendência
a clientela	a guerra	original (adj.)	

Expressões:

dar o braço a torcer falar pelos cotovelos fazer má cara fazer ouvidos de mercador	ficar de pé atrás meter os pés pelas mãos não dizer coisa com coisa	não pregar olho não ter papas na língua ter a barriga a dar horas	ter as costas quentes ter em mãos

Verbos:

atrapalhar-se comandar consagrar contradizer-se demonstrar derivar	efectuar embelezar especializar-se (em) evoluir figurar	fingir mostrar-se predominar reforçar-se retomar	retratar revestir satisfazer transplantar tratar-se

REVISÃO
11/15

I - Altere as seguintes frases sem lhes modificar o sentido. Comece como indicado:

1. Cheguei atrasado porque ninguém me disse a que horas começava a aula.

   Cheguei atrasado por ______________________________
   ____

2. Não faço comentários sem que primeiro tenha visto o filme.

   Não faço comentários sem ______________________________
   ____

3. Embora tenha chovido bastante, o jogo não foi adiado.

   Apesar de ______________________________
   ____

4. Ficámos muito satisfeitos porque te lembraste de nós.

   Ficámos muito satisfeitos por ______________________________
   ____

5. Não saias até que tenhamos chegado a casa.

   Não saias até ______________________________
   ____

II - Substitua a parte destacada da frase pelo pretérito mais-que-perfeito composto do conjuntivo.

1. **Com tempo,** tê-lo-ia convencido
   ____
   ____

2. **Sem a vossa ajuda,** não teria acabado o trabalho a tempo.

____

____

3. **De avião,** já estavam lá.

____

____

4. **Sem a autorização do médico,** não poderias ter saído do hospital.

____

____

5. **Falando com ele,** já tínhamos resolvido o problema há mais tempo.

____

____

III - Complete com o verbo entre parênteses no tempo correcto do conjuntivo.

1. Talvez a Milú ______________ (*vir*) cá a casa no fim-de-semana passado.
2. Espero que, a estas horas da noite, a reunião já______________ (*terminar*).
3. Sempre duvidei de que ele______________ (*ganhar*) todo aquele dinheiro honestamente.
4. Tomara que vocês______________ (*gostar*) do colega que me vai substituir.
5. Tenciono falar com o Tó, mesmo que ele já ______________ (*tomar*) uma decisão.
6. Lamento que tu não______________ (*poder*) vir. Vai ser uma festa óptima.
7. É bem possível que ele______________ (*perder*) os documentos na estação de comboios.
8. Embora ela ______________ (*acabar*) o curso, continua a ir à faculdade para se encontrar com os colegas.
9. Se tu já ______________ (*ir*) ao dentista, agora não tinhas tantas dores.
10. Quem me dera que amanhã não ______________ (*chover*), mas acho pouco provável.

IV - Substitua a parte destacada da frase pelo pronome pessoal correspondente. Faça as alterações necessárias.

1. Maria Keil terá acabado **o projecto** antes do final do ano.

____

____

2. Se tivesse visto a Xana, teria falado **com ela.**

3. Se precisar de ajuda, contactarei **contigo.**

4. Não sabia que estavam interessados no concerto, senão teria comprado bilhetes **para vocês**.

5. Achas que a Milú trará alguma coisa do Brasil **para mim**?

6. Já que tanto insistes, farei a vontade **ao Quim**.

7. Se me tivesses dito que o Zeca fazia anos, teria comprado um presente **para ele**.

8. **A nós,** ele dirá a verdade. Tenho a certeza.

9. Embora o trabalho que me pediste não me agrade muito, farei **isso** por ti.

10. Antes das férias começarem, já terão alugado a **casa**.

V- Complete com as preposições, contraindo-as com o artigo quando necessário.

1. A Xana tem um projecto________ mãos ________ grande responsabilidade que tem________estar pronto ________ ________ fim ________ mês.

2. A janela ________ nossa sala ________ aula dá_______ o pátio______ escola.

3. Eu cá estou sempre________ pé_______ _______ relação_______ Francisco. Ele não é ________ confiança.

4. Vamos mas é almoçar. Já passa________ duas e eu estou ________ a barriga ________ dar horas.

5. A Milú mudou ________ penteado e o Quim nem deu ________ nada.

6. Estou farto________ falar________ ele, mas ele faz ouvidos______ mercador e não segue os conselhos________ninguém.

7. Não sei o que é que se passa________ a filha da Teresa, que agora deu ________ mentirosa. Talvez seja________ idade!

8. Realmente não davas ________ médico! Perdeste a cor só________ veres um bocadinho________sangue.

9. Combinámos ir ter________ porta do restaurante________ oito horas. Mas ninguém se lembrava________ caminho e andámos________ voltas ________ meia hora________ que demos________ o sítio.

10. A mãe ________ Xana é uma senhora muito simpática.________ mim, só tem um defeito: fala______ cotovelos.

UNIDADE 16 «(...) quando tiverem terminado o secundário (...)»

Áreas gramaticais/Estruturas

Conjugação perifrástica: **_vir a_ + infinitivo**

Futuro perfeito composto do conjuntivo
Pares idiomáticos

Advérbios: **indiscriminadamente, incondicionalmente, visivelmente**
Locuções conjuncionais: **logo que**
Locuções prepositivas: **de perto**

Diálogo

Xana: Hoje em dia está tudo muito diferente do nosso tempo. O próprio sistema de ensino sofreu alterações consideráveis.

Zeca: Há quem pense que essas mudanças foram positivas e também há quem diga o contrário.

Quim: Pois é. Eu sou dos que acreditam que o ensino em Portugal está a melhorar a olhos vistos. Os jovens de agora têm a possibilidade, quando tiverem terminado o secundário, de escolherem entre a via de ensino e a via profissionalizante.

Tó: Essa última, por exemplo, dá acesso a diversas áreas tecnológicas — electrónica, informática, secretariado, etc. — com boas saídas para o mercado de trabalho.

Quim: Só assim poderemos vir a ter técnicos com formação especializada, capazes de vir a competir com outros países da Europa, nomeadamente os da Comunidade Económica Europeia.

— Vamos lá falar!

Apresentação 1

Pares idiomáticos	
a olhos vistos	visivelmente
mundos e fundos	tudo e mais alguma coisa
a par e passo	de perto
de vento em popa	progredir; prosperar
a torto e a direito	indiscriminadamente
em carne e osso	em pessoa
a ferro e fogo	recorrendo a meios violentos, a ameaças
com armas e bagagens	com tudo, incondicionalmente
de cor e salteado	conhecer um assunto muito bem
para dar e vender	em grande quantidade
são e salvo	ileso; em perfeito estado; intacto

Oralidade 1

1. O filho da Teresa tem crescido a ***olhos vistos***! Está praticamente um homem e só tem 15 anos.
2. Felizmente o acidente só causou danos materiais. Todos os ocupantes dos dois veículos foram retirados ____________.
   Para além do susto, ninguém sofreu qualquer ferimento.
3. Não é preciso encomendar papel para a fotocopiadora. Ainda há umas cinco resmas no armário, dá para ____________.
4. Passei todo o fim-de-semana a estudar para o exame. Acho que já sei tudo de ____________, até decorei os pontos e vírgulas!
5. Ela saiu de casa e levou tudo o que lhe pertencia. Mudou-se para casa dos pais com ____________.
6. O Quim disse que estava no Porto mas não é possível: era mesmo ele, ______ ______, que estava naquele restaurante! Passei mesmo ao lado dele, não me podia ter enganado.
7. Fizeram alterações no trânsito a ____________. É claro que agora chegaram à conclusão de que foi um erro e consta que vai voltar tudo ao que era.
8. A empresa vai de ____________! Já venderam quase o dobro do que tinham previsto para o 1º. semestre do ano.
9. Eles combateram o inimigo a ____________, recorrendo a todos os meios, por mais violentos que fossem.
10. Durante a campanha eleitoral prometeram ____________; ganhas as eleições, as promessas ficaram guardadas na gaveta.
11. O Secretário de Estado terá dito que o Ministério iria seguir ____________ o desenrolar do inquérito.

Apresentação 2

Resultado final da acção
vir a **+ infinitivo**

Oralidade 2

1. Finalmente ***vim a*** **saber** tudo o que se passou.
2. Só assim poderemos ***vir a*** **ter** técnicos com formação especializada.

Oralidade 3

Exemplo:

Soube pela Xana que estavas doente.
Vim a saber pela Xana que estavas doente.

1. Duvido que eles me **contem** o que realmente aconteceu.

____.

2. Talvez a **encontre** outra vez, nunca se sabe.

____.

3. Com esse feitio, podes **ter** graves problemas.

____.

4. Como se esperava, o Zeca **foi nomeado** chefe de serviços.

____.

5. O sistema educativo em Portugal **tem sofrido** grandes alterações nos últimos anos.

____.

Oralidade 4

Exemplo: Como <u>*era*</u> (*ser*) de prever, ele <u>*veio a ser*</u> (*ser*) reeleito.

1. Se ____________ *(cumprir)* as promessas feitas na última campanha, podiam ____________ *(ganhar)* estas eleições.
2. Ultimamente a equipa do Quim ____________ *(vencer)* todos os jogos em que ____________ *(participar)*.
3. ____________ *(ser)* no último jantar em casa da Milú que eu ____________ *(conhecer)* o irmão dela.
4. Se ele ____________ *(esforçar-se)* mais, podia ____________ *(ser)* um bom profissional.
5. Enquanto os nossos técnicos não ____________ *(ter)* formação adequada, não poderão ____________ *(competir)* com os seus parceiros europeus.

Apresentação 3

A

Futuro perfeito composto do conjuntivo
•Forma-se com o verbo auxiliar **ter** no **futuro imperfeito do conjuntivo** e o **particípio passado** do **verbo principal.**

B

Futuro perfeito composto do conjuntivo	
Emprego	Exemplo
• Indica uma acção futura terminada em relação a outro facto também futuro.	Quando tiverem terminado o secundário, os jovens poderão optar entre a via de ensino e a via profissionalizante.

Oralidade 5

Exemplo:

Quando vocês ***tiverem acabado*** *(acabar)* os exercícios, poderão sair.

1. Assim que eu __________ *(ler)* o livro, faço-te um resumo da história.
2. Enquanto a filha da Teresa não __________ *(fazer)* seis anos, não poderá entrar para a primária.
3. Logo que a Xana __________ *(terminar)* o projecto, vai tirar quinze dias de férias.
4. Só quando todos os técnicos __________ *(receber)* formação adequada, é que Portugal poderá competir com outros países europeus.
5. Enquanto os jovens não __________ *(completar)* os quinze anos de idade, não podem deixar de estudar.

Oralidade 6

Exemplo:

Terminados os exames, poderei descansar. Quando ***tiver terminado os exames***, poderei descansar.

1. **Feitas as contas**, logo vemos quanto cabe a cada um.
   Assim que ____________________.
2. **Acabando as aulas**, vou para casa.
   Quando ____________________.
3. **Recebendo as notícias até ao meio-dia**, ainda as poderemos publicar no jornal da tarde.
   Se ____________________.
4. **Vista a cidade de Lisboa**, seguirão para o Algarve.
   Logo que ____________________.
5. **Completando os quinze anos**, poderás deixar de estudar.
   Quando ____________________.

ESCOLA SECUNDÁRIA DE CAMÕES

Texto

O sistema educativo

O sistema educativo compreende a educação pré-escolar, a educação escolar e a educação extra-escolar tanto a nível das escolas públicas (gratuitas) como a nível das escolas particulares e cooperativas.

A educação pré-escolar é complementar ou supletiva da acção educativa da família, com a qual estabelece estreita cooperação, sendo a sua frequência facultativa e destinando-se a crianças dos 3 aos 5/6 anos de idade.

A educação escolar compreende os ensinos básico (universal e obrigatório), secundário e superior, integrando modalidades específicas e incluindo actividades de ocupação de tempos livres.

A educação extra-escolar engloba actividades de alfabetização e de educação de base, de aperfeiçoamento e actualização cultural e científica bem como a iniciação, reconversão e aperfeiçoamento profissional.

Vejamos em esquema como está organizada a educação escolar, não superior:

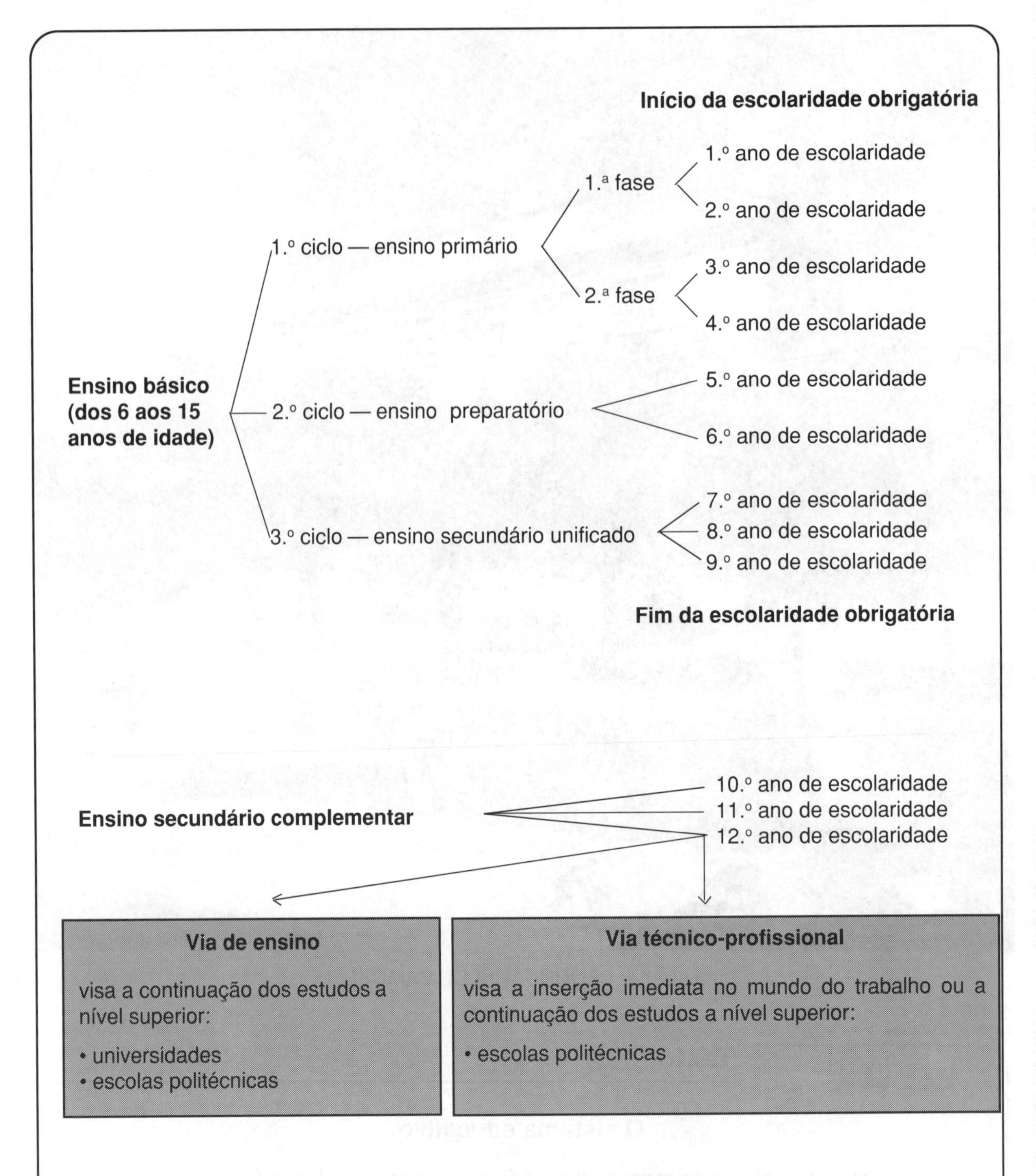

Os 10.º e 11.º anos de escolaridade estão organizados por áreas de estudo:

- Área A — Estudos Científico-Naturais;
- Área B — Estudos Científico-Tecnológicos;
- Área C — Estudos Económico-Sociais;
- Área D — Estudos Humanísticos;
- Área E — Estudos das Artes Visuais.

Qualquer das áreas compreende três componentes de formação: a formação geral, comum a todas as áreas, e as formações específica e vocacional, estruturadas de acordo com as características dos domínios de actividade e dos cursos superiores para as quais orientam os alunos.

— Vamos lá escrever!

Escrita 1

1. Diga como está organizado o sistema educativo em Portugal.

2. O que é que se entende por ensino básico?

3. Refira-se às diferenças fundamentais entre a via de ensino e a via técnico--profissional.

4. Considerando que o Quim é professor de Educação Física e que a Xana é arquitecta, que áreas de estudo é que eles tiveram de seguir?

5. Qualquer das áreas compreende três componentes de formação. Diga quais são e quais os seus objectivos.

Escrita 2

Das alternativas apresentadas, qual é a que, em significado, melhor se aproxima da palavra sublinhada:

1. <u>compreende</u>

a) abrange b) entende c) alcança

2. supletiva

a) substituível b) suplementar c) suprimida

3. estreita

a) apertada b) escassa c) íntima

4. reconversão

a) renovação b) redução c) readaptação

5. inserção

a) adaptação b) integração c) implantação

Escrita 3

Explique por palavras próprias o sentido dos seguintes extractos do texto.

1. «A educação pré-escolar é (...) supletiva da acção educativa da família (...)»

2. «(...) incluindo actividades de ocupação de tempos livres.»

3. «A educação extra-escolar engloba actividades de alfabetização e de educação de base (...)»

4. «A via técnico-profissional visa a inserção imediata no mundo do trabalho (...)»

5. «(...) estruturadas de acordo com as características dos domínios de actividade e dos cursos superiores para os quais orientam os alunos.»

Escrita 4

Atente no seguinte quadro e, em dois ou três parágrafos, refira-se aos estabelecimentos de ensino em Portugal, apontando essencialmente as suas diferenças.

Estabelecimento de Ensino		
• Públicos ou estatais (isenção de propinas)	• Jardins de infância • Escola primária • Escola preparatória • Escola secundária	• diferentes tipos de escolas, consoante o tipo de ensino.
• Privados ou particulares (pagamento de propinas)	• Escolas • Colégios • Externatos	• especializados em determinado(s) tipo(s) de ensino; • englobando todos os tipos de ensino, desde o pré-escolar até ao secundário complementar.

Escrita 5

Compare o sistema educativo do seu país com o sistema educativo português, numa composição de 150-200 palavras. Refira-se aos diferentes tipos de ensino, de estabelecimentos de ensino, à escolaridade obrigatória, idades de ingresso e conclusão, etc.

Sumário

Objectivos funcionais

Falar de acções futuras terminadas em relação a outras também futuras	«Quando tiverem terminado o secundário, poderão escolher entre a via de ensino e a via profissionalizante.»
Falar do resultado final da acção	«Só assim poderemos vir a ter técnicos com formação especializada.»

Vocabulário

Substantivos e adjectivos:

a actualização
adequado (adj.)
a alfabetização
a ameaça
o aperfeiçoamento
apertado (adj.)
a área de estudo
a campanha
o chefe de serviços
o complementar
o componente
a C.E.E (Comunidade Económica Europeia)
considerável (adj.)
a continuação
a cooperação
a cooperativa
o desenrolar
o dobro

a electrónica
a eleição
o ensino
estatal (adj.)
estreito (adj.)
estruturado (adj.)
o externato
facultativo (adj.)
o feitio
o ferimento
a fotocopiadora
ileso (adj.)
a implantação
a informática
a iniciação
o inimigo
o inquérito
a inserção
a integração

íntimo (adj.)
a isenção
o Ministério
a modalidade
obrigatório (adj.)
o ocupante
o parceiro
perfeito (adj.)
positivo (adj.)
profissional (adj.)
profissionalizante (adj.)
a promessa
a propina
a quantidade
a readaptação
a reconversão
a renovação
a resma

o resumo
o secretariado
o Secretário de Estado
o semestre
o sistema
substituível (adj.)
suplementar (adj.)
supletivo (adj.)
suprimido (adj.)
o susto
o técnico
tecnológico (adj.)
universal (adj.)
a via
a vírgula

Expressões:

a ferro e fogo a olhos vistos a par e passo	a torto e a direito com armas e baga- gens	de cor e salteado de vento em popa em carne e osso	mundos e fundos para dar e vender são e salvo

Verbos:

abranger alcançar combater	competir (com) constar crescer	destinar-se (a) entender pertencer	progredir prosperar reeleger

Áreas gramaticais/Estruturas

Verbo *ficar* + preposições
Expressões idiomáticas
Estrangeirismos
Neologismos

Advérbios:	**acima, cumulativamente, igualmente**
Indefinidos:	**algo**
Locuções adverbiais:	**de certeza, em alternativa**
Locuções conjuncionais:	**enquanto que**
Preposições:	**contra, mediante**

Diálogo

Xana: A Teresa ficou de vir ter comigo, aqui ao atelier, mas ainda não apareceu. Espero que não se demore muito.
Tó: Tens de dar-lhe um desconto. Coitada da rapariga! Anda cheia de trabalho, agora que está a preparar-se para o mestrado.
Xana: Pois é por isso mesmo que ela vem cá. Vou ajudá-la no trabalho de investigação que ela está a fazer.
Tó: Bem. Já não estou a perceber nada. Afinal quem é que vai ser mestre? É ela ou és tu?
Xana: Eu só disse que ia dar-lhe uma mãozinha...
Tó: Estou a brincar contigo.
Xana: ... no que for da minha área, nomeadamente arte portuguesa, estilos arquitectónicos, etc. Tudo isso lhe será útil para complementar a investigação.
Tó: Ficam-te muito bem esses sentimentos.
Xana: É para isso que servem os amigos.

— Vamos lá falar!

Oralidade 1

1. *Xana*: Embora a Teresa tivesse ficado de se encontrar comigo hoje, até agora ainda não apareceu. Só espero que não demore muito, porque dentro de uma hora vou ter de sair.

A Xana disse que ______________________________

____

____

2. *Xana:* Teresa, se precisares de ajuda na área da arte ou arquitectura portuguesa já sabes que podes contar comigo para o que for preciso.

A Xana disse à Teresa ______________________________

____

____

3. *Teresa:* Ó Xana, não tens por acaso nenhum livro sobre História de Arte que me pudesses emprestar por uns dias?

A Teresa perguntou à Xana ______________________________

____

____

4. *Teresa:* Custe o que custar, o trabalho de investigação, que tenho em mãos, terá de estar terminado até ao final do próximo mês.

A Teresa afirmou ____

____

____

5. *Professor:* Espero que já tenha terminado a 1.ª fase da sua tese quando eu voltar de férias. Se assim não for, Teresa, irá ser muito difícil ter tudo pronto na data màrcada.

O Professor da Teresa disse-lhe____

____

____

6. *Teresa:* Eu gosto bastante do meu professor. Nunca tive qualquer problema com ele, embora saiba de quem já tenha tido.

A Teresa afirmou que____

____

____

7. *Quim:* Tive pena que não tivesses podido vir connosco de férias. Se tivesses vindo, ter-te-ias divertido imenso, mas compreendo que agora o teu trabalho para o mestrado está em primeiro lugar.

O Quim disse à Teresa que ____

____

____

8. *Zeca:* A Xana nunca mais chega. Terá ido trabalhar com a Teresa?
Vou mas é telefonar para casa dela, não vá ter acontecido alguma coisa.

O Zeca disse ____

____

____

9. *Teresa:* A minha filha ainda não sabe por que área é que vai optar, mas também só quando tiver terminado o 9.º ano é que terá de se decidir e ainda faltam dois anos.

A Teresa disse que ____

____

____

10. *Xana:* Talvez não seja má ideia, se a levares a fazer aqueles testes psicotécnicos que indicam qual a tendência vocacional dos miúdos!

A Xana disse à amiga que ______________________________

____

____

Apresentação 1

Verbo *ficar* + **preposições**		
ficar com	-	guardar (1)
ficar de	-	comprometer-se a, ter combinado (2)
ficar em	-	estar situado (3)
ficar para	-	adiar, ser marcado para (4)
ficar por	-	acabar (5)
	-	não fazer, não realizar (6)

Oralidade 2

1. Podes ficar com o jornal. Já o li todo.
2. A Xana ficou de aparecer aqui no atelier.
3. O Ministério da Educação fica na Av. 5 de Outubro, em Lisboa.
4. Afinal, não vai haver reunião. Fica para 2.ª feira da próxima semana.
5. Hoje ficamos por aqui. Amanhã vamos fazer mais algumas revisões.
6. Como a empregada não veio hoje, a casa ficou por arrumar.

Oralidade 3

1. Achei uma nota de 5.000$00 na rua e guardei-a, já que não havia ninguém por perto.

   ____

2. Hoje tinha consulta marcada para os miúdos, mas o médico faltou. Foi adiada para 5.ª feira à mesma hora.

   ____

3. Embora a Xana tenha combinado encontrar-se comigo no café, não apareceu até agora.

   ____

4. A quinta dos pais do Zeca fica situada nos arredores de Aveiro.

   ____

5. O trabalho não foi feito, porque ele tem estado doente e é a única pessoa que sabe do assunto.

___

Oralidade 4

1. Eu não avisei a Milú. Foi o Quim que ______ lhe telefonar ontem à noite.
2. Oxalá o Zeca ______ os bilhetes que fomos ontem comprar. Eu já vi na carteira e não os tenho de certeza.
3. Amanhã voltaremos a este assunto, mas por hoje chega. ______ aqui, que já é muito tarde.
4. Uma vez que a Milú não está cá este sábado, é melhor que o jantar ______ o próximo fim-de-semana.
5. Embora a Universidade ______ Lisboa, o acesso é péssimo.

Apresentação 2

Expressões idiomáticas	
dar uma mãozinha	ajudar
cair no conto do vigário	ser enganado por ingenuidade ou ganância
dar água pela barba	diz-se de algo complicado, trabalhoso
chegar a vias de facto	agredir fisicamente
ver-se grego	experimentar grande dificuldade
passar pelas brasas	dormir um sono breve
dar jeito	diz-se daquilo que convém, que facilita
descalçar a bota	sair de situação intrincada
ficar de cara à banda	sentir-se decepcionado, envergonhado
ser favas contadas	estar garantido
ser canja	ser muito fácil

Oralidade 5

1. Se me pudesses **ajudar** a traduzir este texto, era óptimo.
   Se me ***desses uma mãozinha*** a traduzir este texto, era óptimo.

2. Estou sem carro. Por isso, **convinha-me** imenso que me viesses buscar ao escritório.

____

3. Quando lhe disseram que tinha chumbado no exame de código, **ficou muito decepcionada**.

____

4. Sempre é verdade que o Zé e o irmão **se agrediram** por causa da herança?

____

5. Meteste-te numa grande enrascada e agora tens de **resolver a situação**.

____

6. Estive mais de duas horas à espera do médico. Acho que até **dormitei**.

____

7. Quanto ao contrato com a editora discográfica, o grupo diz que **está totalmente garantido**.

____

8. Com a preparação que o Quim tem, fazer 50 abdominais **é facílimo**.

____

9. **Tive grandes dificuldades** em dar com a quinta do Zeca.

____

10. Todos os dias aparecem histórias nos jornais de pessoas que **foram enganadas**.

____

11. A investigação que a Teresa anda a fazer para o mestrado **tem-lhe dado imenso trabalho**.

____

Apresentação 3

Estrangeirismos	
Palavra estrangeira	Palavra portuguesa
boîte (fr.)	discoteca
boss (ingl.)	patrão
charme (fr.)	encanto
chauffeur (fr.)	motorista
cicerone (it.)	guia
comité (fr.)	comissão
complot (fr.)	conspiração
full-time (ingl.)	tempo inteiro

gaffe (fr.)	deslize
hobby (ingl.)	passatempo
menu (fr.)	ementa
show (ingl.)	espectáculo
slide (ingl.)	diapositivo
snob (ingl.)	presunçoso, pedante
tournée (fr.)	digressão

N. B.: Estrangeirismos são palavras estrangeiras que têm correspondente em português e que, por isso mesmo, são de evitar.

Oralidade 6

1. Embora seja arquitecta o ____________ preferido da Xana é a pintura. Sempre que pode, lá se fecha ela no atelier com os pincéis e as tintas.
2. O Quim foi visitar o Mosteiro da Batalha e comprou um conjunto de __________ que são um espectáculo.
3. Eles passaram a noite toda a dançar numa ______________ que abriu recentemente em Cascais.
4. Disseram-me que o ____________ que está agora no Casino de Vilamoura é muito bom.
5. Não lhe sei dizer onde fica essa rua, mas o melhor é perguntar a um __________ de táxi, que eles sabem sempre tudo.
6. O meu chefe tem um quadro no gabinete que diz que o __________ tem sempre razão, o que mostra bem a sua forma de gestão.
7. A mãe da Milú é uma senhora cheia de __________. Sempre que lá vou a casa adoro conversar com ela.
8. Finalmente ele lá arranjou um emprego a ____________, embora o horário não seja muito aliciante: trabalha das quatro da tarde à meia noite, com um intervalo de uma hora.
9. A última ______________ dos Trovante não foi tão boa como a anterior, na opinião do crítico do jornal «O Sete».
10. A __________ deste restaurante é pouco variada, mas a comida aqui é mesmo caseira.
11. Nunca vi uma pessoa tão ______________ como o Ricardo. É mesmo insuportável.
12. Um colega do Quim faz parte da ____________ Olímpica Portuguesa.
13. Ela é ____________ de profissão e por isso raramente está em casa, principalmente no Verão e aos fins-de-semana, que é quando há mais trabalho.
14. Ontem a Milú cometeu um ____________ imperdoável. Não é que ela estava a falar mal dos funcionários públicos e um dos convidados era funcionário da Câmara há mais de quinze anos!
15. Foi desmascarada uma ______________ contra um dirigente lá do Médio Oriente, disseram hoje no Telejornal.

Apresentação 4

Neologismos		
Palavra estrangeira	Palavra aportuguesada	Definição
appartement (fr.)	apartamento	parte independente de um edifício de habitação colectiva; andar
atelier (fr.)	atelier	oficina onde trabalham pintores, escultores e arquitectos
bar (ingl.)	bar	estabelecimento onde se servem bebidas alcoólicas
beige (fr.)	bege	cor intermédia entre o castanho claro e o branco
beef (ingl.)	bife	pedaço de carne que é servido frito ou grelhado
bonnet (fr.)	boné	cobertura da cabeça, sem abas e com pala.
cache-col (fr.)	cachecol	faixa, geralmente de lã, destinada a agasalhar o pescoço
camion (fr.)	camião	veículo longo para transporte de mercadorias
équipe (fr.)	equipa	conjunto de pessoas selecionadas para determinado fim
jeep (ingl.)	jipe	veículo para todo o terreno
marquise (fr.)	marquise	divisão envidraçada da casa, correspondente a uma varanda
omelette (fr.)	omeleta	porção de ovos batidos que se fritam e se enrolam em forma de travesseiro
réclame (fr.)	reclamo	anúncio, cartaz usado em publicidade
roulotte (fr.)	rolote	atrelado de viatura com as mesmas funções de uma casa, muito frequente no campismo
stand (ingl.)	stand	espaço reservado a cada participante ou produto numa exposição; lugar onde estão as viaturas para vender

N. B.: Neologismos são palavras recentemente introduzidas na linguagem para exprimir novos conceitos ou coisas; quando de origem estrangeira, podem ser aportuguesados e são adoptados por inexistência do termo equivalente.

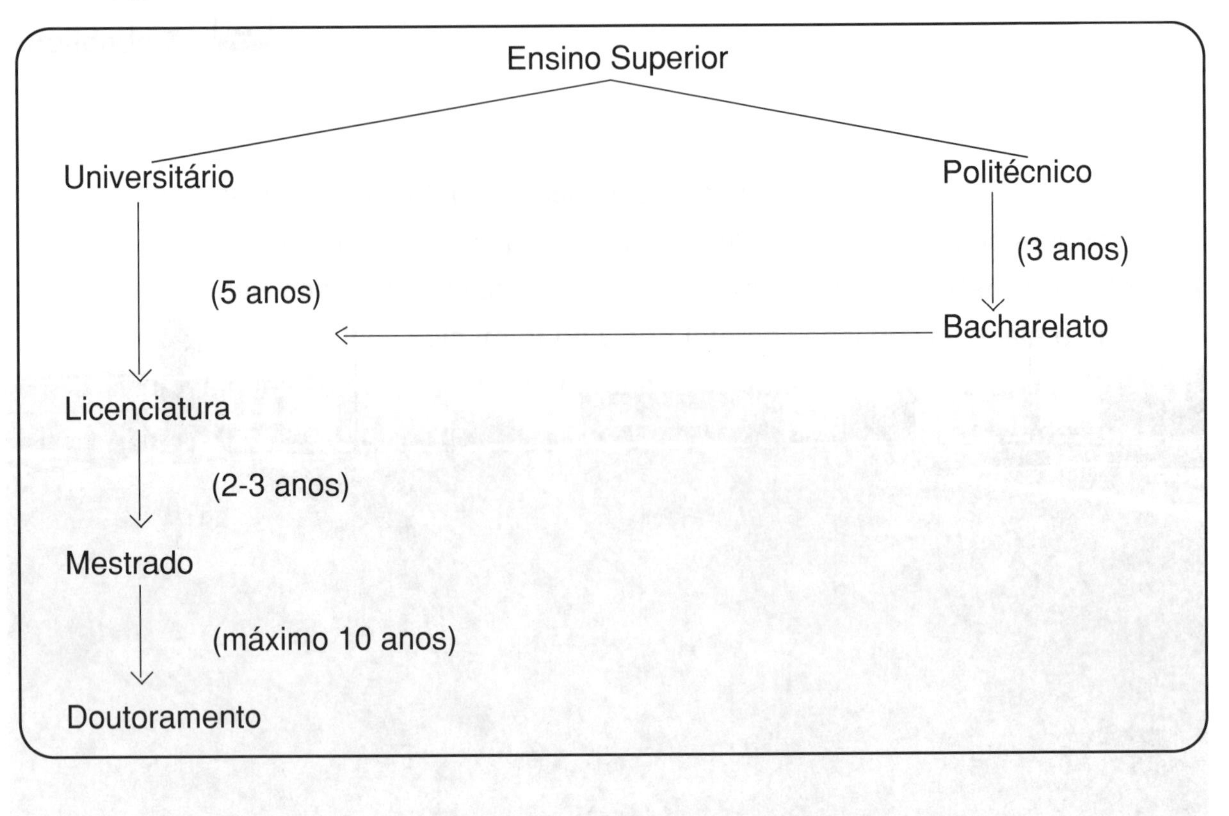

— Vamos lá escrever!

Escrita 1

1. Refira-se às diferentes formas de acesso ao ensino superior.

2. A quem se destina e em que é que consiste o exame *ad hoc*?

3. Refira-se aos graus atribuídos no ensino superior, tendo em conta os dois tipos de ensino indicados no texto.

4. Quem se pode candidatar ao mestrado e que requisitos terá de preencher?

5. Refira-se ao grau máximo atribuído no ensino superior.

Escrita 2

Explique, por palavras suas, o sentido das seguintes palavras/expressões do texto.

1. cumulativamente

2. critérios de seriação

3. disciplinas nucleares

4. provas específicas

5. pós-graduação

Escrita 3

Complete o texto com as preposições, contraindo-as com o artigo sempre que for necessário.

A Universidade Aberta

A Universidade Aberta, criada _____ Dezembro _____ 1988, é um estabelecimento oficial _____ ensino superior, vocacionado _____ o ensino _____ distância; é uma pessoa colectiva _____ direito público _____ autonomia científica, pedagógica, administrativa e financeira.

Designa-se____ensino________ distância o conjunto________ meios, métodos e técnicas utilizados________ ministrar ensino________ populações adultas,________ regime ________ auto-aprendizagem não presencial, ________ restrições ________ tempo ou ________ espaço, mediante a utilização________ materiais didácticos (textos escritos, radiofónicos, televisivos, informáticos ...) e a interacção frequente________ os estudantes e o sistema responsável________ administração________ ensino.

Escrita 4

Compare o sistema educativo português a nível superior com o do seu país.

____
____
____
____
____
____
____
____
____
____
____
____
____
____
____
____
____
____
____

Sumário

Objectivos funcionais

Falar de compromissos	«A Teresa ficou de vir ter comigo (...)»
Justificar-se	«Estou a brincar contigo.»
Lamentar	«Coitada da rapariga!»

Vocabulário

Substantivos e adjectivos:

a aba
a aceitação
a administração
administrativo (adj.)
a angina
o apartamento
o atelier
o atrelado
a auto-aprendizagem
o automóvel
a autonomia
o Bacharel
o bacharelato
bege (adj.)
o boné
o cachecol
o camião
o campismo
o cartaz
caseiro (adj.)
o casino
catedrático (adj.)
o coeficiente
a comissão
complicado (adj.)
a conspiração
correspondente (adj.)
o crítico
decepcionado (adj.)
o deslize
destinado (adj.)
o diapositivo
a digressão
a distância
o doutoramento
o encanto
enrolado (adj.)
envergonhado (adj.)
envidraçado (adj.)
a equipa
a escritura
o exame *ad hoc*
exposto (adj.)
final (adj.)
o final
financeiro (adj.)
a ganância
a gestão
o guia
habilitado (adj.)
imperdoável (adj.)
independente (adj.)
informático (adj.)
insuportável (adj.)
a interacção
intermédio (adj.)
o intervalo
intrincado (adj.)
isolado (adj.)
o jipe
júnior (adj.)
a lã
o Licenciado
a licenciatura
luminoso (adj.)
marcado (adj.)
a média
a mercadoria
o mestrado
o *numerus clausus*
a oficina
a pala
o patrão
o pedaço
pedante (adj.)
o pincel
politécnico (adj.)
a população
a pós-graduação
presencial (adj.)
presunçoso (adj.)
a Prova Geral de Acesso (PGA)
psicotécnico (adj.)
a publicidade
radiofónico (adj.)
o reclamo
o regime
a restrição
a rolote
selecionado (adj.)
o sentimentalismo
o stand
o Telejornal
televisivo (adj.)
a tese
a tinta
trabalhoso (adj.)
único (adj.)
a utilização
a visibilidade
vistoso (adj.)
vocacionado (adj.)
vocacional (adj.)

Expressões:

a passo de caracol
a tempo inteiro
ao vivo
cair no conto do vigário
chegar a vias de facto
dar água pela barba
dar jeito
dar uma mãozinha
descalçar a bota
ficar com saudades
ficar de cara à banda
meter-se numa enrascada
ovo a cavalo
passar pelas brasas
ser canja
ser favas contadas
ter combinado
ver-se grego

Verbos:

agasalhar
arrepender-se
comprometer-se (a)
colmatar
desmascarar
dormitar
emoldurar
facilitar
irritar
ministrar
sujar-se
sujeitar (a)
tapar
transformar (em)
treinar-se

Áreas gramaticais/Estruturas

Verbo *passar* + preposições
Pares idiomáticos
Orações proporcionais

Advérbios: **exactamente, unanimemente**

Preposições: **perante**

Diálogo

Zeca: Em quem é que vais votar nas próximas eleições autárquicas?
Quim: Eu?! Isso são perguntas que se façam? O voto é secreto!
Zeca: Claro que é. Estava só a gozar contigo. Mas agora falando a sério: já estou farto da propaganda política a que estamos sujeitos.
Quim: É um facto. Todos os dias somos bombardeados na rua, na rádio, na televisão, nos jornais...
Zeca: E quanto mais discursos ouço, mais me convenço que todos dizem o mesmo, todos fazem promessas que não passam de pura demagogia.
Milú: Pois é. É por essas e por outras que eu ainda tenho de pensar duas vezes se vou ou não votar.
Quim: Aí já não concordo. Votar é um dever cívico e, como tal, todos nós devemos cumpri-lo. Há sempre uma alternativa: caso não tenhas preferência por nenhum partido político, votas em branco.

— Vamos lá falar!

Oralidade 1

Complete com os verbos no indicativo ou no conjuntivo.

1. Sempre que a Xana ____________ (*ter*) tempo livre, ____________ (*fechar-se*) no atelier e ____________ (*dedicar-se*) à pintura, que ____________ (*ser*) a sua grande paixão.
2. Sempre que tu ____________ (*poder*), ____________ (*vir*) visitar-me, pois como ____________ (*saber*), ____________ (*ser*) sempre bem-vindo a nossa casa.
3. Foi pena que o Zeca ____________ (*ficar*) zangado comigo, mas eu ____________ (*ter*) de lhe dizer o que ____________ (*pensar*), senão não ____________ (*sentir-se*) bem comigo próprio.
4. Eu ainda não ____________ (*conseguir*) arranjar bilhetes para o concerto dos Trovante, mas talvez a Milú já os ____________ (*comprar*), porque ela ontem ____________ (*ir*) à agência em Alvalade.
5. Oxalá não ____________ (*chover*) este sábado, pois eu ____________ (*querer*) ir à praia, mas não me ____________ (*parecer*) muito provável: o céu ____________ (*estar*) tão encoberto...
6. Quando ____________ (*querer*), ____________ (*poder*) sair. Eu já ____________ (*estar*) pronta.
7. ____________ (*dizer*) tu o que ____________ (*dizer*), não o ____________ (*ir*) fazer mudar de opinião. Já ____________ (*saber*) que ele ____________ (*ser*) de ideias fixas.

8. Se me ____________ (*avisar*) mais cedo, eu ____________ (*pedir*) a uma colega que me ____________ (*substituir*) e já ____________ (*poder*) ir com vocês.
9. Em pequeno, já eu ____________ (*dizer*) que ____________ (*querer*) ser professor. Professor de Educação Física, claro. Pelo menos, ____________ (*ser*) o que a minha mãe ____________. (*contar*)
10. Quando eu logo à tarde ____________ (*estar*) com o Zeca, ____________ (*perguntar*) -lhe se ____________ (*querer*) vir connosco à Feira do Livro.
11. ____________ (*ser*) meio-dia. Se eu até às três horas ainda não ____________ (*terminar*) o trabalho, não ____________ (*esperar*) por mim e ____________ (*ir*) vocês andando, que eu depois ____________ (*ir*) lá ter.
12. Caso ____________ (*perder*) o seu cartão de eleitor, ____________ (*ter*) de dirigir-se à Junta de Freguesia, para que lhe ____________ (*dar*) o seu número, sem o qual não ____________ (*poder*) exercer o seu direito de voto.
13. Segundo alguns analistas políticos, ____________ (*prever-se*) um elevado número de abstenções nas próximas eleições autárquicas, embora as sondagens do mês passado ____________ (*contradizer*) esta opinião.
14. O partido do governo ____________ (*afirmar*) que vai ganhar de novo as legislativas. ____________ (*ser*) que ____________ (*ter*) razão? Eu cá ____________ (*ter*) as minhas dúvidas !
15. Embora ele ____________ (*ficar*) de me trazer o livro ontem, ____________ (*esquecer-se*), como não ____________ (*poder*) deixar de ser. É por essas e por outras que eu nunca ____________ (*acreditar*) no que ele ____________ (*dizer*).

Apresentação 1

Verbo ***passar* + preposições**		
passar a	—	começar finalmente; ser promovido
passar de	—	ir além, ultrapassar
não passar de	—	ser apenas
passar de ... a	—	mudar de situação/condição
passar-se em	—	acontecer, ocorrer
passar por	—	parecer, dar ideia de; ir via
passar para	—	mudar de lugar, transitar

Oralidade 2

1. Por ser tão tímida e não conversar com ninguém, ____________ antipática, quando no fundo é precisamente o contrário.
2. As aulas de Português deixam de ser na sala 15 e ____________ a sala 21 no 2.º andar.

3. Se ________________ Monção, não te esqueças de ir à adega cooperativa e comprar uma caixa de vinho verde.
4. O caso que te contei ________________ Setúbal com uns amigos dos meus pais.
5. A filha da Teresa ________________ o 9.º ano de escolaridade, embora reprovada em duas disciplinas.
6. Saiu-lhe a lotaria e em dois meses ________________ empregado ______ patrão. Imagina tu que comprou o bar onde trabalhava!
7. O Zeca ________________ ter mais cuidado com a comida, desde que o médico lhe disse que a tensão dele estava muito alta.
8. Estou preocupada com a Milú. Já ________________ meia-noite e ela ainda não chegou a casa.
9. Ele não ________________ um aprendiz de escultor, embora esteja convencido de que é uma grande sumidade.
10. Este ano o Zeca tem grandes hipóteses de ________________ gerente do banco.

Apresentação 2

Pares idiomáticos	
por essas e por outras	por tudo isso e outras razões
unha com carne	diz-se de duas pessoas muito amigas
pele e osso	diz-se de pessoa muito magra
o bom e o bonito	o ponto mais grave; a maior dificuldade
impávido e sereno	manter-se calmo
sem tirar nem pôr	sem diferença alguma, exactamente
sem pés nem cabeça	diz-se de coisa sem nexo, sem lógica
de corpo e alma	total empenhamento, entusiasmo
entre a espada e a parede	em situação desesperada; perante um dilema
sem dó nem piedade	sem compaixão, sem misericórdia

Oralidade 3

1. Os políticos fazem promessas que não passam de pura demagogia. É ***por essas e por outras*** que eu não sei se vou votar.
2. A Teresa tem emagrecido imenso desde que se meteu no mestrado. Coitada, está ________________, até faz aflição.
3. O João já disse ao pai que tinha batido com o carro, mas quando ele vir o estado em que ficou é que vai ser ________________. Nem quero estar por perto.

4. Afinal não cheguei a perceber porque é que ele ainda não acabou o trabalho. Contou-me uma história ________________ que se via logo que não passava de uma desculpa inventada à última hora.
5. O que ficou decidido na reunião foi ________________ aquilo que eu tinha sugerido, mas já sabes que ele gosta sempre de ter a última palavra.
6. Quando se deu o acidente toda a gente entrou em pânico, à excepção de um senhor já de certa idade que ficou ________________, como se não fosse nada com ele.
7. A Xana dedicou-se ________________ ao novo projecto que a Câmara lhe entregou. Nunca a vi assim tão entusiasmada.
8. Ainda não resolvi o problema da casa, nem vejo saída possível. Sinto-me ____________, sem saber o que fazer.
9. Eles são inseparáveis. Para onde vai um, vai o outro. São mesmo o que se pode chamar ________________ .
10. Ele tem um feitio terrível, chega mesmo a ser cruel para os próprios amigos. Diz o que tem a dizer, ________________, doa a quem doer.

Apresentação 3

Orações proporcionais					
	mais			mais	
	menos			menos	
Quanto	melhor	...,	(tanto)	melhor	...
	pior			pior	
	...			...	

Oralidade 4

1. ***Quanto melhor*** forem as uvas, ***melhor*** será o vinho.
2. ***Quanto mais*** estudo, ***menos*** sei.
3. ***Quanto menos*** o virmos, ***tanto melhor*** para todos.
4. ***Quanto pior*** forem os serviços públicos, ***mais*** queixas haverá.
5. ***Quanto menos*** como, ***menos*** fome tenho.

Oralidade 5

Exemplo: Quanto *mais* discursos ouço, *mais* me convenço que todos dizem o mesmo.

1. Não sabes que quanto ________________ doces comeres, tanto ________________ é para os teus dentes?

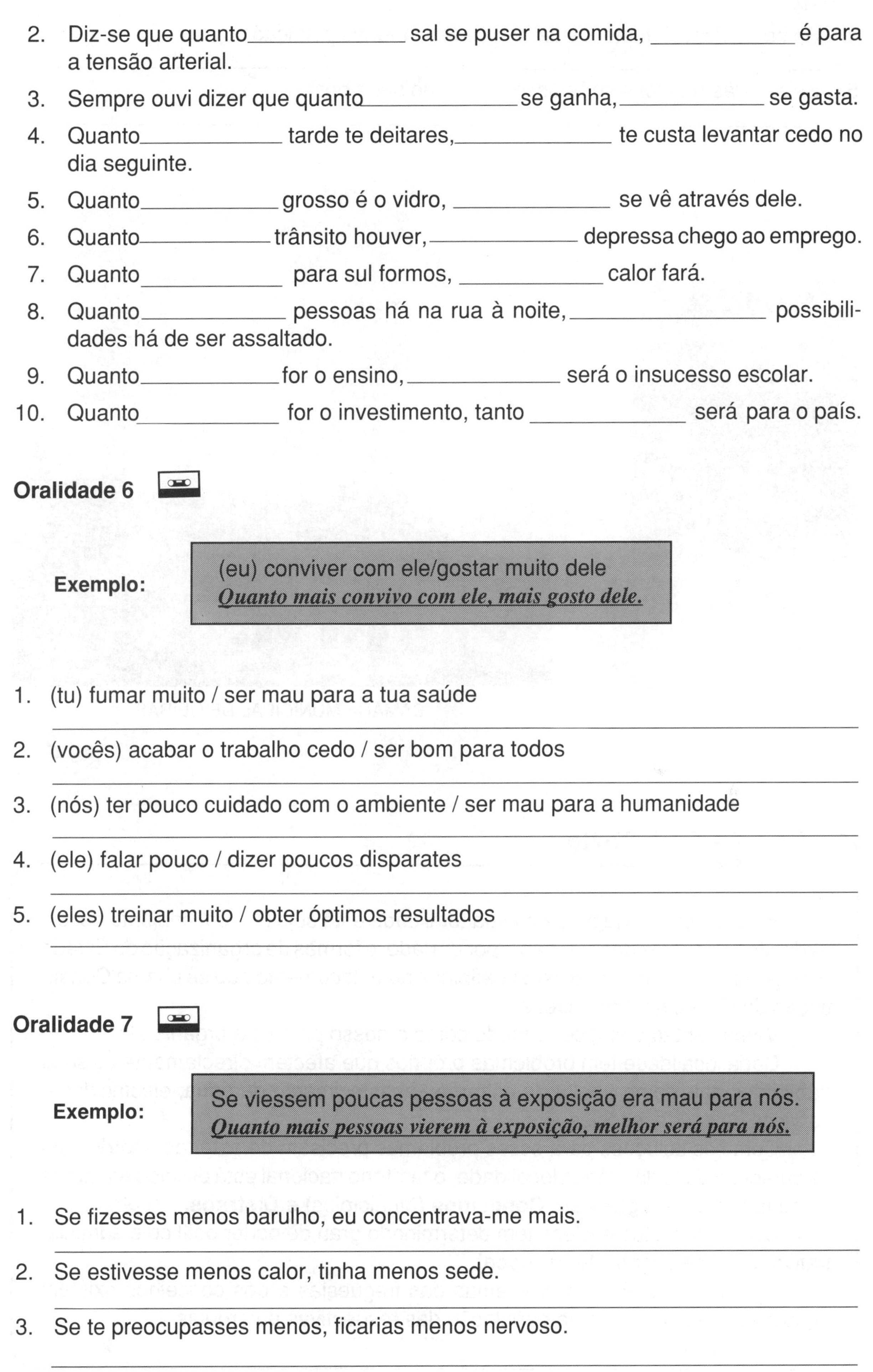

2. Diz-se que quanto__________ sal se puser na comida, __________ é para a tensão arterial.
3. Sempre ouvi dizer que quanto__________ se ganha,__________ se gasta.
4. Quanto__________ tarde te deitares,__________ te custa levantar cedo no dia seguinte.
5. Quanto__________ grosso é o vidro, __________ se vê através dele.
6. Quanto__________ trânsito houver,__________ depressa chego ao emprego.
7. Quanto __________ para sul formos, __________ calor fará.
8. Quanto__________ pessoas há na rua à noite,__________ possibilidades há de ser assaltado.
9. Quanto__________ for o ensino,__________ será o insucesso escolar.
10. Quanto__________ for o investimento, tanto __________ será para o país.

Oralidade 6

Exemplo:

(eu) conviver com ele/gostar muito dele ***Quanto mais convivo com ele, mais gosto dele.***

1. (tu) fumar muito / ser mau para a tua saúde
____
2. (vocês) acabar o trabalho cedo / ser bom para todos
____
3. (nós) ter pouco cuidado com o ambiente / ser mau para a humanidade
____
4. (ele) falar pouco / dizer poucos disparates
____
5. (eles) treinar muito / obter óptimos resultados
____

Oralidade 7

Exemplo:

Se viessem poucas pessoas à exposição era mau para nós. ***Quanto mais pessoas vierem à exposição, melhor será para nós.***

1. Se fizesses menos barulho, eu concentrava-me mais.
____
2. Se estivesse menos calor, tinha menos sede.
____
3. Se te preocupasses menos, ficarias menos nervoso.
____

4. Se se fabricassem menos carros, haveria menos poluição.

____

5. Se as uvas não fossem boas, o vinho não seria bom.

____

CÂMARA MUNICIPAL DE OEIRAS

Texto

A população portuguesa na sua totalidade está sujeita a um conjunto de leis — direitos e deveres dos cidadãos, por um lado, e formas de organização do Estado português, por outro — que estão definidas num documento que se chama Constituição da República Portuguesa.

Vamos então conhecer o modo como o nosso país está organizado.

Cada localidade tem problemas próprios que afectam directamente os seus habitantes, tais como a falta de estradas, abastecimento de água, electricidade, serviços de saúde, escolas, etc.

Como as soluções para esses problemas precisam de estar de acordo com as características da própria localidade, o território nacional está dividido em áreas administrativas: **Freguesias, Concelhos** (Municípios) e **Distritos.**

Cada um destes núcleos tem determinado grau de poder político e administrativo a que se chama **Poder Local**.

Para a resolução dos problemas das freguesias e dos concelhos existem órgãos próprios, eleitos pela população das respectivas autarquias.

Órgãos de Poder Local

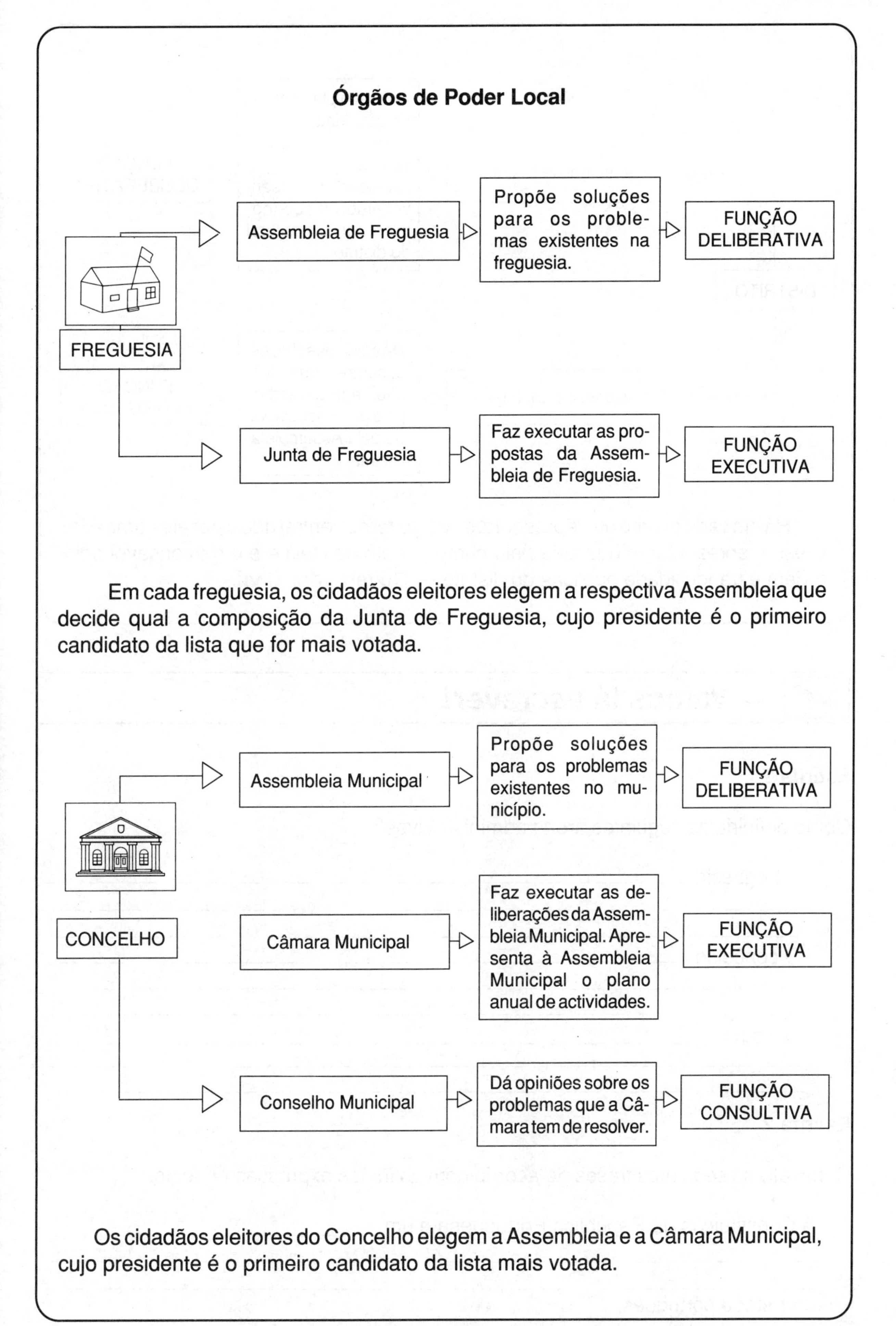

Em cada freguesia, os cidadãos eleitores elegem a respectiva Assembleia que decide qual a composição da Junta de Freguesia, cujo presidente é o primeiro candidato da lista que for mais votada.

Os cidadãos eleitores do Concelho elegem a Assembleia e a Câmara Municipal, cujo presidente é o primeiro candidato da lista mais votada.

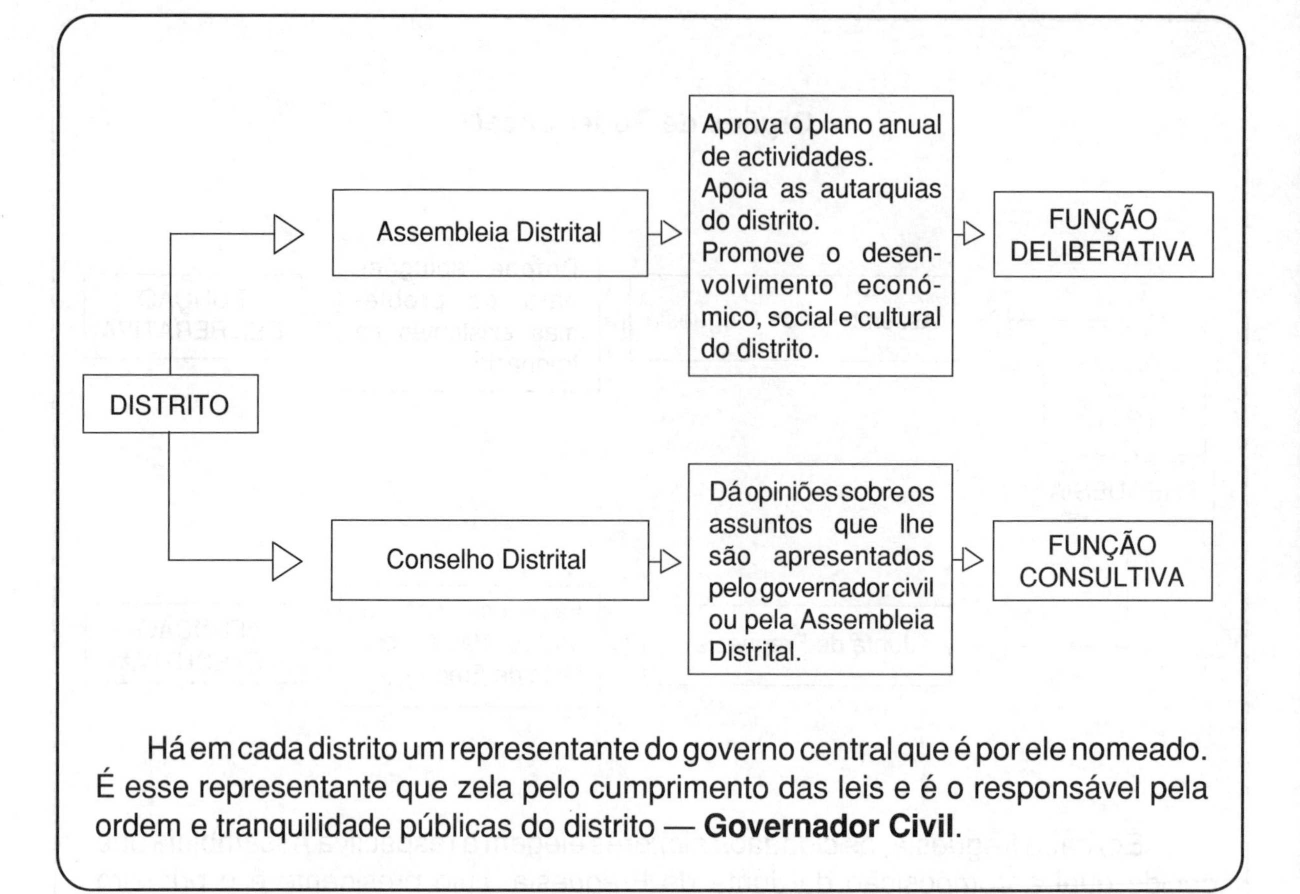

Há em cada distrito um representante do governo central que é por ele nomeado. É esse representante que zela pelo cumprimento das leis e é o responsável pela ordem e tranquilidade públicas do distrito — **Governador Civil**.

— Vamos lá escrever!

Escrita 1

Como definiria as seguintes áreas administrativas?

A freguesia ____

____

____

O concelho ____

____

____

O distrito ____

____

____

Escrita 2

Complete as seguintes frases de acordo com as ideias expressas no texto.

1. A Constituição da República Portuguesa é um ____

____

____

do Estado português.

2. Falta de estradas, abastecimento de água, ______________________________
____
____
de cada localidade.

3. O poder local tem como objectivo ______________________________
____
____

4. Freguesias, ______________________________
______________________________ o território nacional.

5. As eleições autárquicas ______________________________
____
____
____

Escrita 3

Ponha os verbos entre parênteses na forma correcta.

Votar
Um direito, um dever cívico

Entre as 7 e as 19 horas ______________ (*dirigir-se*) ao local de funcionamento da sua assembleia de voto e ______________ (*levar*) consigo os seus elementos de identificação. Se não ______________ (*ter*) bilhete de identidade, ______________ (*dever*) levar outro documento com fotografia actualizada e que ______________ (*ser*) geralmente utilizado para identificação. Se não ______________ (*possuir*) qualquer documento, a sua identidade ______________ (*poder*) ser comprovada por dois cidadãos eleitores ou ainda ser unanimemente reconhecida pela mesa.

Para ______________ (*poder*) votar ______________ (*precisar*) também de indicar o número que ______________ (*constar*) do seu cartão de eleitor. Se não ______________ (*ter*) cartão de eleitor, ______________ (*dirigir-se*) à Junta de Freguesia que, nesse dia, ______________ (*estar*) aberta para que lhe ______________ (*dizer*) o seu número de eleitor.

Na posse do boletim (no caso das legislativas e presidenciais) ou boletins de voto (no caso das autárquicas), ______________ (*assinalar*) com uma cruz o quadrado que ______________ (*encontrar-se*) à frente do símbolo correspondente à lista em que ______________ (*querer*) votar.

Não ______________ (*preencher*) mais do que um quadrado por boletim, não ______________ (*riscar*), nem ______________ (*fazer*) emendas; se o ______________ (*fazer*), o voto ______________ (*ser*) nulo.

Se ______________ (*enganar-se*) ou ______________ (*inutilizar*) o boletim de voto, ______________-o (*devolver*) à mesa que lhe ______________ (*entregar*) outro.

Antes de ________________(*abandonar*) a câmara de voto, __________ (*dobrar*) o boletim em quatro, ________________ (*deixar*) a parte impressa voltada para dentro. De seguida,________________ (*entregar*) o boletim dobrado ao presidente da mesa que o________________ (*introduzir*) na urna ao mesmo tempo que os escrutinadores ________________ (*descarregar*) o seu nome nos cadernos eleitorais.

Atenção: Dentro da assembleia e fora dela, até à distância de 500 metros, não __________ (*poder*) revelar em que lista ________________ (*votar*) ou ________________ (*votar*) e também não________________ (*poder*) usar emblemas ou insígnias partidárias.

Escrita 4

Compare o sistema administrativo do território português com o do seu país.

Sumário

Objectivos funcionais

Concordar	«Claro que é.» «Pois é.»
Discordar	«Aí já não concordo.»
Expressar surpresa/indignação	«Eu?! Isso são perguntas que se façam?»

Vocabulário

Substantivos e adjectivos:

o abastecimento
a abstenção
actualizado (adj.)
a adega cooperativa
a alternativa
o analista
o aprendiz
a assembleia
a autarquia
autárquico (adj.)
o boletim
a câmara
o cartão de eleitor
cívico (adj.)
a compaixão
o Concelho
a Constituição da República Portuguesa
cruel (adj.)
a cruz
o cumprimento

a demagogia
o dever
o dilema
o discurso
o distrito
dividido (adj.)
dobrado (adj.)
eleito (adj.)
o eleitor
o emblema
o empenhamento
o entusiasmo
a escolaridade
o escrutinador
o Estado
a freguesia
o funcionamento
o Governador Civil
o governo
grosso (adj.)
a humanidade
a identidade

a identificação
impresso (adj.)
inseparável (adj.)
a insígnia
o insucesso
inventado (adj.)
o investimento
a Junta de Freguesia
legislativo (adj.)
a lei
a lógica
a misericórdia
o Município
o nexo
nomeado (adj.)
nulo (adj.)
organizado (adj.)
o órgão
a paixão
partidário (adj.)
o partido
o poder

o Poder Local
a posse
presidencial (adj.)
a propaganda
a queixa
a rádio
o representante
reprovado (adj.)
o sal
secreto (adj.)
a sondagem
sujeito (adj.)
a sumidade
a tensão arterial
a tranquilidade
a urna
utilizado (adj.)
votado (adj.)
o voto
zangado (adj.)

Expressões:

de corpo e alma
entre a espada e a parede
fazer aflição

impávido e sereno
não passar de
o bom e o bonito

pele e osso
por essas e por outras
sem dó nem piedade

sem pés nem cabeça
sem tirar nem pôr
unha com carne

Verbos:

assinalar
bombardear
comprovar
contradizer

convencer-se
introduzir
inutilizar
manter-se

meter-se (em)
prever
revelar
riscar

transitar
votar
zelar

Áreas gramaticais/Estruturas

Verbo ***ver*** e seus **derivados**

Verbo ***vir*** e seus **derivados**

Numerais ordinais

Advérbios: **activamente, inclusivamente, indistintamente, legalmente, precisamente, prontamente, relativamente**

Conjunções: **porém**

Preposições: **salvo**

Diálogo

Tó: Fui ontem assistir ao debate sobre o Orçamento Geral do Estado na Assembleia da República. Nem imaginas como foi polémico! Inclusivamente, houve deputados que quase chegaram a vias de facto. É um espectáculo a não perder!

Quim: Já era de prever que fosse assim. Esse tipo de debates são sempre muito acesos. Normalmente as discussões são por causa das verbas atribuídas aos diversos sectores públicos e... casa onde não há pão, todos ralham e ninguém tem razão.

Tó: Por outro lado, é interessante ouvir os argumentos dos ministros: por tudo e por nada intervêm, mencionando este ou aquele decreto-lei e enumerando os artigos da Constituição a propósito de qualquer assunto.

Quim: Não te esqueças que a maior parte dos deputados são, ou já foram, advogados e conhecem como ninguém os mecanismos da lei e da política.

— Vamos lá falar!

Apresentação 1

Verbo ***ver*** e ***derivados***		
antever	—	ver com antecipação
entrever	—	ver indistintamente
prever	—	supor, calcular
rever	—	tornar a ver

Oralidade 1

1. Vocês não ______________(*ver*) o debate na televisão? Como se ______________ (*prever*), foi muito polémico.
2. Já______________ (*rever*) a matéria para o teu teste ? É necessário que a ________ ________ (*rever*) ainda hoje.
3. Pela frincha da porta______________ (*entrever*) os meus amigos que se aproximavam.
4. Não sei como conseguiram, mas______________ (*antever*) os resultados. Talvez tenha sido um acaso.
5. ______________ -se (*prever*) para amanhã uma subida das temperaturas máximas em todo o continente.

6. Ao fim de dez anos _____________ (*rever*) os meus tios que chegam amanhã do Brasil.

Apresentação 2

Verbo **vir** e **derivados**		
advir	—	resultar
avir-se	—	arranjar-se como puder
convir	—	ser útil
intervir	—	intrometer-se, interferir
provir	—	derivar; descender
sobrevir	—	acontecer depois

Oralidade 2

1. Não me _____________ (*convir*) que eles _____________ (*vir*) a saber o que se passou.
2. A polícia _____________ (*intervir*) prontamente e, felizmente, tudo se resolveu. Se não _____________ (*intervir*), _____________ (*advir*) graves consequências.
3. Aconselho-te a não _____________ (*intervir*) na questão. Eles que _____________ (*avir-se*) como puderem.
4. Espero que, depois de ter feito o tratamento, não _____________ (*sobrevir*) mais complicações.
5. Esse vinho _____________ (*provir*) de uma das melhores castas da região do Douro.
6. Depois de ter _____________ (*intervir*) activamente no debate, deputados da oposição _____________ (*vir*) criticar a minha atitude.
7. Dois dias após termos _____________ (*vir*) dos Açores, _____________ (*sobrevir*) uma grande tempestade que isolou algumas ilhas.
8. _____________ (*provir*) de uma família riquíssima e muito conservadora, decidiu abdicar de todo o dinheiro, sem pensar nas consequências que daí _____________ (*advir*).
9. A discussão ainda _____________ (*vir*) a acabar mal, se ninguém _____________ (*intervir*).
10. Fico à vossa espera, mas não _____________ (*vir*) depois da meia-noite. Não me _____________ (*convir*) deitar muito tarde.

Apresentação 3

Numerais ordinais	
20.º — vigésimo	100.º — centésimo
21.º — vigésimo primeiro	200.º — ducentésimo
...	300.º — tricentésimo
30.º — trigésimo	400.º — quadringentésimo
40.º — quadragésimo	500.º — quingentésimo
50.º — quinquagésimo	600.º — seiscentésimo
60.º — sexagésimo	700.º — septingentésimo
70.º — septuagésimo	800.º — octingentésimo
80.º — octogésimo	900.º — nongentésimo
90.º — nonagésimo	1000.º — milésimo

N. B.: A ordem por que se indicam reis, papas e séculos, graficamente representada pela numeração romana, é expressa por numerais ordinais: Rei D. João IV (quarto), Papa João Paulo II (segundo), século IX (nono); mas, quando o número for superior a dez, a ordem indica-se pelos cardinais: Rei Luís XI (onze), Papa João XXIII (vinte e três), século XX (vinte).

Oralidade 3

1. Do artigo **237.º** ao **244.º** da Constituição da República Portuguesa fala-se de poder local.

2. D. Carlos I foi o **32.º** rei de Portugal e morreu já no século **XX**, mais precisamente em **1908**.

3. A propósito das atribuições do Governo referem-se os artigos **200.º**, **201.º** e **202.º** da Constituição.

4. D. Manuel **II**, **33.º** e último rei de Portugal, teve um curto reinado, pois em **1910** é implantada a República.

5. Pedro Julião nasceu em Lisboa no século **XIII**, teve uma vida intensa de estudo — medicina, literatura, filosofia — e em **1276** foi eleito papa com o nome de João **XXI**.

Apresentação 4

Provérbios	Significado
Casa onde não há pão, todos ralham e ninguém tem razão.	A falta de dinheiro dá origem a mau ambiente.
A cavalo dado não se olha o dente.	Ainda que não agrade totalmente, não se pode pedir mais de algo que foi oferecido.
Gato escaldado de água fria tem medo.	Quem já se deu mal uma vez, receia repetir a experiência.
Cão que ladra não morde.	Pessoa que está sempre a fazer ameaças, mas nunca chega a concretizá-las.
Quem não arrisca, não petisca.	Quem não se atreve, não consegue melhorar a sua situação.
Patrão fora, dia santo na loja.	Quando quem manda está ausente, os outros tendem a trabalhar menos.

Oralidade 4 

1. Situação:

Quando há três anos esteve de férias no Rio de Janeiro, foi assaltado por duas vezes. Recebeu agora um convite para lá voltar. No entanto, não está muito inclinado a aceitá-lo, pois cada vez há mais violência no Brasil.

Provérbio:

____

____

2. Situação:

O chefe esteve fora uma semana. Foi o bom e o bonito: houve quem fosse a tarde toda para o café, quem passasse o dia a ler o jornal. Em resumo, poucos foram os que trabalharam a sério.

Provérbio:

3. Situação:

Ele largou o emprego que tinha há tanto tempo para montar um negócio com o cunhado. É, sem dúvida, um grande risco, mas, se tudo correr como eles esperam, vai ganhar muito mais e dará um grande pulo na vida.

Provérbio:

4. Situação:

Os Silva passam a vida a discutir: ele está desempregado há dois meses, ela ganha pouco e têm três filhos em idade escolar. Até os miúdos estão sempre a embirrar uns com os outros.

Provérbio:

5. Situação:

Ele até que é boa pessoa. Está sempre a dizer que faz e acontece, mas é incapaz de matar uma mosca.

Provérbio:

6. Situação:

Não gosto muito da cor do meu carro novo, mas saiu-me num concurso de televisão e, como é óbvio, não podia exigir fosse o que fosse.

Provérbio:

Tribunais

Art.º 206.º

- Aplicar a justiça.
- Assegurar a defesa dos direitos e interesses legalmente protegidos dos cidadãos.

Poder judicial

— Vamos lá escrever!

Escrita 1

De entre as palavras dadas, escolha a que, em significado, melhor se aproxima da palavra/expressão sublinhada:

1. (...) estabelece as regras (...)

   a) impõe b) define c) explica

2. (...) garante a independência nacional, (...)

   a) segura b) assegura c) protege

3. (...) exonerar o Primeiro-Ministro; (...)

   a) demitir b) desobrigar c) dispensar

4. (...), salvo as reservadas pela Constituição (...)

   a) incluindo b) excluindo c) englobando

5. (...) à boa execução das leis.

   a) à justa b) à direita c) à correcta

Escrita 2

Complete o quadro.

Verbo	Substantivo	Adjectivo
	a administração	
		legislativo
executar		
	a proposta	
nomear		
	a defesa	
		estabelecido
competir		
	a instituição	
		democrático

Escrita 3

Complete as seguintes frases de acordo com o texto.

1. Segundo a Constituição da República Portuguesa ______________________

 ____

2. Madeira e Açores são ______________________________

 ____

3. Só o Presidente da República tem ______________________

 para ____

4. À Assembleia da República ______________________________

 ____

 ____________________ excepto as reservadas ao Governo pela Constituição .

5. Por outro lado, cabe ao Governo ______________________________

 ____

 Assembleia da República.

Escrita 4

Complete os textos com as formas correctas dos verbos e dos pronomes entre parênteses:

A

Embora os órgãos de soberania ____________________ (*exercer*) as suas funções em Lisboa, ____________________ (*competir a eles*) a resolução de problemas de todo o país.

_______________(*ser*) também os cidadãos de todo o país que _______________ (*eleger*) os seus representantes para a Assembleia da República, assim como o Presidente da República. Tal princípio _______________ (*vir*) consignado na Constituição.

O Presidente da República, de acordo com os resultados eleitorais, _______________ (*nomear*) o Primeiro-Ministro, que _______________ (*encarregar-se*) de formar governo.

B

Nas regiões autónomas da Madeira e dos Açores _______________ (*existir*) órgãos de governo próprios.

Os deputados à Assembleia Regional _______________ (*eleger*) pelos cidadãos eleitores de cada arquipélago.

O Presidente do Governo Regional _______________ (*nomear*) pelo Ministro da República, que _______________ (*ser*) o representante do Poder Central.

C

O território de Macau, _______________ (*situar*) na costa oriental da China, _______________ (*gozar*) também de grande autonomia, _______________ (*manter-se*) sob administração portuguesa.

Porém, nos últimos tempos _______________ (*realizar-se*) negociações entre as autoridades portuguesas e chinesas, _______________ (*ter*) em vista a transferência da administração do território para a China.

Escrita 5

Compare o sistema político português com o do seu país.

Sumário

Objectivos funcionais

Considerar um facto como provável	«Já era de prever que fosse assim».
Expressar opinião	«É um espectáculo a não perder!»
Mudar de assunto	«Por outro lado, é interessante ouvir os argumentos dos ministros (...)»

Vocabulário

Substantivos, adjectivos e numerais:

o acaso a antecipação o argumento atribuído (adj.) centésimo (100.º) a China o Comandante Supremo das Forças Armadas a complicação conservador (adj.) consignado (adj.) o decreto-lei democrático (adj.)	o deputado ducentésimo (200.º) estabelecido (adj.) a filosofia a frincha a justiça justo (adj.) a matéria o mecanismo milésimo (1000.º) o ministro a negociação nonagésimo (90.º)	nongentésimo (900.º) octingentésimo (800.º) octogésimo (80.º) o papa quadragésimo (40.º) quadrigentésimo (400.º) quingentésimo (500.º) quinquagésimo (50.º)	a regra o regulamento o reinado a república seiscentésimo (600.º) septingentésimo (700.º) septuagésimo (70.º) sexagésimo (60.º) a subida tricentésimo (300.º) trigésimo (30.º)

Expressões:

formar Governo	por inerência	ter em vista	

Verbos:

advir antever aplicar aprovar avir-se caber (a) calcular competir (a)	convir criticar demitir descender desobrigar dispensar entrever enumerar	excluir executar exonerar governar gozar (de) interferir intervir intrometer-se	isolar prever provir realizar-se referir-se rever segurar sobrevir

6. Ele mente com tanta naturalidade que eu quase que ____________ na história que me contou, não fosse a Teresa piscar-me o olho. (*acreditar*)
7. Depois de ter demorado três horas a chegar a casa — o trânsito estava tremendo — ____________ um colapso quando percebeu que tinha deixado as chaves de casa no escritório. (*ter*)
8. Por causa das intrigas do Mário, eu e a Luísa quase que ____________. Mas lá conversámos e tudo se esclareceu. (*zangar-se*)
9. A mãe do Zeca ____________ quando viu o filho entrar em casa naquele estado. Tiveram de lhe dar um calmante. (*desmaiar*)
10. O filho da Teresa ____________ uma perna a andar de patins. Felizmente foi só uma entorse, mas é claro que o miúdo está cheio de dores e não pode estar de pé. (*partir*)

Apresentação 2

Gerúndio composto	
Formação	Emprego
• Forma-se com o verbo auxiliar ***ter*** no **gerúndio**, seguido do **particípio passado do verbo principal.**	• Indica uma acção concluída anteriormente à expressa pelo verbo da oração principal.

N. B.:

Gerúndio	
Simples	Composto
Aspecto não concluído (acção em curso)	Aspecto concluído (acção terminada)
Estando cheio de dores, o Zeca foi para casa deitar-se.	***Tendo passado*** pelo que passou, não admira que o Zeca esteja tão em baixo.

Oralidade 2

Exemplo:

O Zeca perdeu o controlo do carro e foi embater numa árvore.
Tendo perdido o controlo do carro, o Zeca foi embater numa árvore.

1. O Zeca tomou um sedativo e passou a manhã toda a dormir.

2. A mãe do Zeca viu o filho naquele estado e ia desmaiando.

3. Ele não conseguiu entrar para a Faculdade e resolveu, então, inscrever-se num curso de computadores.

4. Ele separou-se da mulher e pediu transferência para o Porto.

5. Eles gastaram todo o dinheiro até meio das férias e tiveram de regressar mais cedo.

Oralidade 3

Exemplo:

a) Se tiver dores de cabeça, tome um comprimido.
Tendo dores de cabeça, tome um comprimido.

b) Como ficou muito fraco, não vai trabalhar na próxima semana.
Tendo ficado muito fraco, não vai trabalhar na próxima semana.

1. Se vieres de comboio, deves chegar cá pelas cinco horas.

2. Se o Zeca tivesse abrandado antes da curva, não se tinha despistado.

3. Quando for ao Porto, vou fazer uma visita ao João.

4. Como foi promovido a gerente, agora tem o dobro das preocupações.

5. Quando souber o novo número de telefone, comunico-lho imediatamente.

6. Como não paguei a taxa dentro do prazo, tive um acréscimo de 10%.

7. Se se tratar de um caso grave, deve dirigir-se às urgências do hospital.

8. Se vires o Zeca, deseja-lhe as melhoras.

9. Se trouxerem convites, não vão ter problemas à entrada.

10. Como me fui embora mais cedo, não assisti ao debate.

Oralidade 4

Construa as frases da coluna **A** como no exemplo 1, e depois combine-as com uma frase da coluna **B**.

A

1. (eu) / passar
   Tendo passado pelo que passei,
2. (nós) / ver
   ______________________,
3. (ele) / sofrer
   ______________________,
4. (eu) / ouvir
   ______________________,
5. (ela) / fazer
   ______________________,
6. (eu) / saber
   ______________________,
7. (ele) / dizer
   ______________________,
8. (eu) / ler
   ______________________,

B

1. ... nem queríamos acreditar.
2. ... agora nem quer falar do assunto.
3. ... só posso concluir que o atendimento é péssimo.
4. ... não o desejo a ninguém.

Apresentação 3

Plural das palavras compostas		
Regra		Exemplo
1. • substantivo + substantivo • substantivo + adjectivo • adjectivo + adjectivo	os dois elementos no plural	• guarda**s**-civi**s** • amor**es**-perfeito**s** • verde**s**-escuro**s**
2. • verbo + substantivo • palavra invariável + subst.	só o 2.º elemento no plural	• guarda-só**is** • ex-director**es**
3. • substantivo + preposição + + substantivo	só o 1.º elemento no plural	• fi**ns**-de-semana

Oralidade 5

Exemplo:

— O Zeca é um cara-alegre, está sempre bem-disposto.
— Já o irmão é o mesmo. São os dois uns *caras-alegres!*

1. — Fui à praça e comprei uma couve-flor para o jantar.

   — Só! Devias era ter comprado algumas três ________________, pois só o Zeca come uma inteira.

2. — Hoje vesti o meu casaco azul-marinho.

   — O Quim também está com um casaco dessa cor. Estão os dois com casacos ________________.

3. — Considero este quadro da Vieira da Silva uma verdadeira obra-prima.

   — Quanto a mim ela tem várias ________________. É de facto fabulosa.

4. — Fui nomeado porta-voz da associação de estudantes da minha faculdade.

   — Também eu. Agora somos os dois ________________, não tem piada?

5. — O filho da Teresa é muito bem-educado, não achas?

   — E a filha também. São duas crianças muito ________________.

6. — Está a chover que se farta. Não tens um chapéu-de-chuva a mais que me emprestes?

   — Olha lá, achas que eu sou maluco para andar com dois ________________?

7. — O rapaz está sempre calado, mesmo quando se fala com ele não responde. Parece que é surdo-mudo.

   — Não, ele é muito introvertido, mas por sinal os pais são os dois ________________ e isso pode ter influência na personalidade do filho.

8. — Adoro pão-de-ló. Que tal se fizéssemos um para a festa?

   — Fazemos mas é dois ________________, porque com tantos convidados um não vai chegar de certeza.

9. — Entregámos um abaixo-assinado ao director da escola por causa do professor de Matemática. É uma nódoa!

   — Não vai valer de nada. Estão fartos de receber ________________ e ele continua lá, em vez de ir para a reforma.

10. — Assaltaram a casa do Pedro, arrombando a porta com um pé-de-cabra.

    — É o costume. Usam sempre ________________ para rebentarem as fechaduras.

Apresentação 4

Pares idiomáticos	
por uma unha negra	por diferença ínfima
entre as dez e as onze	indica hesitação, dúvida
comes e bebes	comidas e bebidas
dito e feito	sem demoras, sem hesitações
tintim por tintim	com todas as minúcias, pormenores

Oralidade 6

1. Já sabes que ele é de compreensão lenta. Se não lhe explicares tudo __________ ele não vai perceber o que é que tu queres que ele faça.

2. O Zeca quase que ia tendo um traumatismo craniano. Safou-se __________ Apesar de tudo, teve muita sorte.

3. Vamos fazer uma festa para celebrar o fim do mestrado da Teresa. Eu empresto a casa e vocês trazem os __________.

4. Estou de facto sem saber o que fazer em relação à compra da casa. Sinto-me __________, não sei se a compre ou procure uma para alugar.

5. Com ele é __________. Pedi-lhe o relatório de vendas ontem à tarde e hoje às 9 horas da manhã estava em cima da minha secretária.

HOSPITAL DE SANTA MARIA

Texto

A Saúde

O Serviço Nacional de Saúde (SNS) é a estrutura através da qual o Estado assegura a todos os cidadãos o direito à protecção da saúde, independentemente da sua situação económica e social, nos termos constitucionais. O acesso ao SNS é garantido a todos os portugueses, aos estrangeiros naturais de países que tenham um sistema idêntico para portugueses, aos apátridas e refugiados políticos que residam ou se encontrem em Portugal.

A utilização dos serviços é, por princípio, gratuita; no entanto, pode ser cobrada uma taxa moderadora, para a utilização de certas unidades e serviços, que tem por objectivo a racionalização da procura.

O SNS compreende duas áreas de cuidados que se complementam e que estão organizadas em instituições de natureza diferente — os Centros de Saúde e os Hospitais.

Os Centros de Saúde

Constituem a rede de cuidados de saúde primários, encontram-se disseminados por todo o país e é através deles que habitualmente se processa o acesso dos utentes ao SNS.

O Centro de Saúde define-se como um estabelecimento que dirige a sua acção predominantemente aos indivíduos e às famílias, a grupos particularmente carenciados (terceira idade, deficientes, doentes crónicos, etc.), a instituições (creches, lares de idosos) e à comunidade em geral. Tem por objectivo prestar cuidados de saúde, promover a medicina preventiva, ajudar na convalescença e assegurar a reabilitação quer no domicílio dos doentes, quer no próprio Centro. Desenvolvem também acções de saúde materna e infantil, planeamento familiar e saúde mental, entre outras.

Cada utente e membros dum mesmo agregado familiar deverá inscrever-se no Centro de Saúde da área da sua residência e escolher, de entre uma lista de clínicos aí exposta, o seu médico de família.

O horário de atendimento é das 8:00 às 20:00 de 2.ª a 6.ª feira. Fora destas horas e aos fins-de-semana e feriados, existem os Serviços de Atendimento Permanente (SAP) que prestam cuidados de saúde urgentes ou de emergência.

Os Hospitais

Constituem as unidades prestadoras de cuidados de saúde mais especializados. Nestes estabelecimentos, em regime de internamento ou ambulatório, são prestados cuidados de saúde de natureza curativa, dispondo de meios de diagnóstico e de terapêutica para atender doentes enviados pelos Centros de Saúde ou por qualquer médico.

Cabe ainda aos hospitais assegurar o tratamento de feridos em acidentes ou padecentes de doenças súbitas que não possam ser tratadas nos SAP ou nos Centros de Saúde.

A par do SNS do Estado existe a medicina privada: o exercício liberal da actividade médica coexiste com o funcionamento dos serviços oficiais, cabendo ao Estado regulamentar a conexão e relacionamento entre os dois tipos de actividade.

— Vamos lá escrever!

Escrita 1

1. O que se entende por Serviço Nacional de Saúde?

___

___

___

2. Quais são os destinatários do SNS?

___

___

___

3. Quais são as diferenças fundamentais entre os Centros de Saúde e os Hospitais?

___

___

___

Escrita 2

Explique, por palavras suas, o sentido das seguintes palavras/expressões do texto:

1. (...) nos termos constitucionais.
____
2. (...) apátridas (...)
____
3. (...) racionalização da procura.
____
4. (...) disseminados por todo o país (...)
____
5. (...) medicina preventiva (...)
____
6. (...) domicílio dos doentes (...)
____
7. (...) utente (...)
____
8. (...) regime (...) ambulatório (...)
____
9. (...) meios (...) de terapêutica (...)
____
10. (...) conexão (...)
____

Escrita 3

Complete o seguinte texto com as formas correctas dos verbos entre parênteses:

Medicina Preventiva

A partir do início do século XX ____________ (*desenvolver-se*) a ideia de que mais ____________ (*valer*) prevenir do que remediar e a medicina preventiva ____________ (*ganhar*) importância em diversos domínios.

Protecção materno-infantil

____________ (*organizar*) consultas sistemáticas para as mulheres grávidas e as crianças de tenra idade, a fim de que ____________ (*detectar*) qualquer sintoma inquietante que ____________ (*pôr*) em perigo a saúde das futuras mães e das crianças.

Vacinas

___________________(*tornar-se*) obrigatório um certo número de vacinas, para que ___________________(*evitar*) o aparecimento de doenças epidémicas graves, tais como a poliomielite, o tétano e a difteria.

Rastreio

___________________(*ter*) como objectivo detectar determinadas doenças, como por exemplo a tuberculose, para que___________________(*tratar*) e ___________________ (*evitar*) o contágio.

Escrita 4

Compare o sistema nacional de saúde português com o do seu país.

Sumário

Objectivos funcionais

Confirmar, perguntando	«Estás cheio de dores, não?»
Expressar compreensão	«Estou a ver.»
Expressar impaciência	«Chega, chega.»
Falar de acções, cuja realização esteve iminente	«(...) ia tendo um traumatismo craniano.»

Vocabulário

Substantivos e adjectivos:

o abaixo-assinado
o acréscimo
o agregado familiar
o amor-perfeito
o aparecimento
o apátrida
o arranhão
o atendimento
azul-marinho (adj.)
bem-educado (adj.)
o calmante
o cara-alegre
carenciado (adj.)
o Centro de Saúde
o chapéu-de-chuva
o clínico
a conexão
constitucional (adj.)
o contágio
a convalescença
o corrimão
a couve-flor
craniano (adj.)
curativo (adj.)
a curva

o deficiente
o degrau
a demora
desmoralizado (adj.)
a difteria
disseminado (adj.)
o doente
a emergência
a entorse
enviado (adj.)
epidémico (adj.)
a estrutura
o ex-director
fabuloso (adj.)
a fechadura
fundamental (adj.)
o gato
grávida (adj.)
o guarda-civil
o guarda-sol
a hesitação
idêntico (adj.)
infantil (adj.)
ínfimo (adj.)
inquietante (adj.)

a intriga
introvertido (adj.)
o lar
liberal (adj.)
maluco (adj.)
materno (adj.)
a medicina
mental (adj.)
a minúcia
moderador (adj.)
a obra-prima
o pão-de-ló
o padecente
a passagem
o pé-de-cabra
a personalidade
o planeamento familiar
a poliomielite
o porta-voz
prestador (adj.)
a racionalização
o rastreio
a reabilitação
o refugiado
o regime

o relacionamento
o sedativo
o Serviço Nacional de Saúde (SNS)
os Serviços de Atendimento Permanente (SAP)
o sintoma
sistemático (adj.)
súbito (adj.)
surdo-mudo (adj.)
a taxa
a terceira idade
o termo
o tétano
a transferência
o traumatismo
tremendo (adj.)
a tuberculose
a unidade
as urgências
o utente
a vacina
a velocidade
verde-escuro (adj.)

Expressões:

apanhar uma multa
braço ao peito
comes e bebes
desejar as melhoras

dito e feito
entre as dez e as onze
estar em baixo

por um triz
por sinal
por sorte

por uma unha negra
pôr em perigo
tintim por tintim

Verbos:

agarrar-se (a)
arrombar
atravessar-se
atropelar
celebrar
coexistir (com)
complementar

compreender
concluir
definir
desculpar
desmaiar
desviar
encontrar

escapar
esclarecer
garantir
hesitar
magoar-se
prevenir
rebentar

regulamentar
remediar
residir (em)
safar-se
vacilar

REVISÃO

16/20

I - Complete com os tempos compostos do conjuntivo.

1. Espero que, a estas horas, a reunião já ____________ (*acabar*).
2. Com certeza que ela voltará para casa, depois que ____________ (*fazer*) as compras.
3. Se eu não ____________ (*ver*), não teria acreditado.
4. Quando os alunos ____________ (*terminar*) poderão sair.
5. Tive pena que o Quim não ____________ (*assistir*) ao debate.
6. Ficarei à espera até que vocês ____________ (*tomar*) uma decisão.
7. Embora ele já ____________ (*desistir*) de estudar, continua a ir à escola encontrar-se com os amigos.
8. Se tu ____________ (*tomar*) os medicamentos como deve ser já não tinhas tantas dores.
9. Só ficaremos descansados quando o Zeca ____________ (*deixar*) o hospital e ____________ (*chegar*) a casa são e salvo.
10. Receio que me ____________ (*roubar*) os documentos. Não consigo encontrá-los!
11. Assim que o senhor ____________ (*preencher*) os impressos todos, dirija-se à caixa n.º 3.
12. Eles nunca mais vão encontrar a rua se não ____________ (*consultar*) primeiro o guia da cidade.
13. Foi óptimo que vocês ____________ (*vir*) cá a casa jantar.
14. Se ____________ (*vender*) a casa aos emigrantes de que te falei, tinhas feito um bom negócio.
15. Logo que a Milú ____________ (*fazer*) a lista dos participantes, começaremos a enviar os convites.

II - Complete com as preposições, contraindo-as com o artigo quando necessário.

1. Estou farta ________ o ver ________ televisão, mas ________ carne e osso nunca tinho visto o presidente.
2. ________ facto, as crianças ________ escola primária já dizem a tabuada ________ cor e salteado.
3. Toda a gente sabe que ele é riquíssimo e tem dinheiro ________ dar e vender; ________ isso é que ele o gasta ________ torto e ________ direito.
4. Fomos ver o espectáculo ________ Rui Veloso e realmente, mesmo sendo ________ vivo, era igualzinho ________ disco, ________ tirar nem pôr.

5. Eles ficaram ________ vir jantar ________ minha casa. Só que lhes surgiu um contratempo e adiámos o jantar ________ o próximo sábado.
6. A galeria de arte que a Xana inaugurou recentemente vai ________ vento ________ popa, ________ tal maneira que ela já está ________ pensar ________ abrir mais outra.
7. O debate ________ os dois deputados foi muito aceso. Houve alturas ________ que ambos se insultavam ________ dó nem piedade.
8. Ela passou ________ mim ________ rua e nem sequer me falou. Não passa ________ uma pessoa muito presunçosa.
9. O Quim sempre se dedicou ________ corpo e alma ________ seu trabalho e talvez seja ________ essa razão que consegue obter óptimos resultados.
10. Será que alguém ficou ________ a minha caneta? Ainda há pouco estava ________ escrever ________ ela e agora não a vejo ________ lado nenhum.

III - Complete com o gerúndio simples ou composto.

1. **Se se tratar** de um caso muito grave, é melhor dirigir-se ao hospital.

____

____

2. **Como chumbei** no exame, vou ter de repeti-lo em Dezembro.

____

____

3. **Como houve** muitas reclamações, resolveram modificar o programa.

____

____

4. **Se vocês forem** de táxi, chegam lá mais depressa.

____

____

5. **Se o apartamento vagar**, alugo-o a vocês.

____

____

6. **Como eles mudaram** de casa na semana passada, não os pude contactar.

____

____

7. **Se achares** que há desvantagens com a alteração, diz-me.

____

____

8. **Como já vi** o filme, prefiro ficar em casa.

____

____

9. **Se falarmos** com o professor, ele provavelmente não se importa de mudar o horário.

____

____

10. **Como lhes disse** que não, ficaram zangadíssimos comigo.

____

____

IV - Complete as frases seguintes com a palavra adequada.

1. Trabalha durante o dia e estuda à noite num *e*__________ particular. Quer terminar o ensino secundário.
2. O quadro que a Xana está a pintar ainda não está pronto. Na tela só há alguns traços de *p*__________.
3. O *s*__________ público da saúde é normalmente considerado prioritário no programa do Governo.
4. O melhor que temos a fazer é perguntar na secretaria da escola quando é que se pagam as *p*__________.
5. Este ano, conseguimos que a *v*__________ atribuída aos espectáculos fosse mais alta.
6. Agora já não se paga a *t*__________ da televisão. Foi finalmente abolida.
7. Se perdeste o *c*__________ de eleitor não podes votar. Tens de dirigir-te primeiro à Junta de Freguesia.
8. Afinal não foi o Primeiro-Ministro que falou, mas sim o *p*__________ do Governo.
9. Como precisava de mais espaço em casa, resolvi fechar a varanda da sala e fazer uma *m*__________.
10. Forçaram-lhe a *f*__________ da porta, entraram-lhe em casa e roubaram-lhe tudo o que havia de valor.
11. Dobre o boletim de voto em quatro, depois entregue-o ao presidente da mesa que o porá na *u*__________.
12. A freguesia, *ó*__________ administrativo imediatamente inferior ao concelho, é de importância vital para a resolução de certos problemas locais.
13. O Quim comprou um carro novo. Vai hoje buscá-lo ao *s*__________ e depois passa por aqui para nós o vermos.
14. À noite o centro da cidade fica cheio de luz e cor com todos os *r*__________ luminosos.
15. A minha avó insiste em ir para um *l*__________, pois diz que não gosta de ficar sozinha em casa e acha que eu tenho pouco tempo para ela.

V - A Complete os espaços em branco com as seguintes formas:

vem, vêm, vêem

1. Vocês não ____________ que ele é que tem razão?
2. Preciso de saber ao certo quem ____________ ao jantar.
3. Eles ____________ mais depressa a pé do que de autocarro.
4. Tanto a Xana como a Milú não ____________ a telenovela.
5. Há animais que ____________ melhor de noite do que de dia.

B Agora complete os espaços em branco com as formas correctas dos seguintes verbos:

intervir, prever, provir, rever, sobrevir

1. Ela ____________ de uma família muito conservadora.
2. Os meteorologistas nem sempre ____________ o tempo com exactidão.
3. São uns alunos exemplares. ____________ sempre as lições com muito cuidado.
4. Sempre que o Zeca ____________ nas conversas, tem de dizer sempre alguma piada.
5. Às grandes jantaradas ____________ por vezes problemas digestivos.

TESTE

A – GRAMÁTICA

1. O Zeca está ____________ gordo. Pudera! ____________ a comer.

   a) cada vez mais ... passa a vida
   b) sempre mais ... passou a vida
   c) mais e mais ... passava a vida
   d) muito mais ... passo a vida

2. É bom que ____________ a horas, embora a reunião não ____________ sem ti.

   a) vens ... comece
   b) venhas ... começa
   c) venhas ... comece
   d) vieres ... começará

3. — Achas que ela já ____________ do acidente?
   — Duvido que ____________.

   a) soube ... sabe b) sabe ... saiba c) saberá ... sabia d) saiba ... sabe

4. — ____________ aula no sábado?
   — Deus queira que não ____________.

   a) haverá ... haja b) houve ... haja c) haja ... há d) há ... haverá

5. Por mais que me ____________, não ____________ com vocês.

   a) pedem ... vou b) pediram ... ia c) pedissem ... vou d) peçam ... vou

6. Se eu ____________ a ti, ____________ já falar com ele.

   a) fui ... ia b) era ... iria c) fosse ... ia d) fosse ... vou

7. Ontem ____________ ao dentista para que me ____________ do dente.

   a) fui ... tratasse b) fosse ... tratou c) ia ... tratava d) fui ... tratar

8. Sempre que ____________ este filme, ____________ de Lisboa.

   a) ver ... lembro-me
   b) vir ... lembrar-me-ei
   c) veja ... vou lembrar-me
   d) vi ... lembrei-me

9. ____________ onde ____________, vou ter com eles.

   a) estiverem ... estejam
   b) estiverem ... estiverem
   c) estejam ... estejam
   d) estejam ... estiverem

10. Ainda não sei se __________ ir com vocês, mas se __________ telefono--vos.

a) podia ... pudesse
b) posso ... puder
c) possa ... posso
d) posso ... poder

11. O senhor __________ melhor se __________ o tratamento como deve ser.

a) sentir-se-ia ... fizesse
b) sentia-se ... fizer
c) sinta-se ... faça
d) se sentiria ... fizesse

12. Nunca __________ problemas com essa agência, mas sei de quem já __________.

a) tenha ... teve
b) tenho ... tinha
c) tivesse ... tinha tido
d) tive ... tenha tido

13. Já não consegui apanhar o comboio, mas __________ se __________ cinco minutos mais cedo.

a) conseguia ... tiver chegado
b) teria conseguido ... tivesse chegado
c) consigo ... tenha chegado
d) tenho conseguido ... chegasse

14. Quando __________ 13:30, já __________ para almoço.

a) forem ... tínhamos saído
b) serem ... saíremos
c) é ... saímos
d) forem ... teremos saído

15. Apesar de me __________, não __________ ir.

a) terem convidado ... quis
b) tenham convidado ... quero
c) tivessem convidado ... queria
d) tinham convidado ... queria

16. Como __________ de prever, ele __________ reeleito.

a) fosse ... vinha a ser
b) é ... veio a estar
c) foi ... vem a estar
d) era ... veio a ser

17. Enquanto não __________ os exercícios, não __________ sair.

a) tenham acabado ... podem
b) tiverem acabado ... poderão
c) tinham acabado ... pudessem
d) têm acabado ... possam

18. __________ ela tivesse ficado de vir cá ter, até agora ainda não apareceu.

a) quando
b) apesar de
c) embora
d) se

19. Não vi o degrau e quase que__________.

a) ia caindo b) fui caindo c) vou a cair d) estou a cair

20. __________ promovido, tem agora mais responsabilidades.

a) tenho estado b) ter sido c) tendo sido d) ter estado

B — VOCABULÁRIO

1. O filho da Teresa é mau como __________, está sempre a bater nos outros miúdos.

a) uma raposa b) um leão c) um touro d) as cobras

2. — O que é que os senhores vão beber?
— Podia tazer-nos __________ de vinhos.

a) a ementa b) a carta c) o catálogo d) o folheto

3. A minha mãe gosta muito de conversar. Fala__________ .

a) pela boca b) pelos olhos c) pelos cotovelos d) pelas mãos

4. Para subir na vida não olha __________ para atingir__________.

a) a meios ... os fins
b) a meio .. o fim
c) ao meio ... o final
d) para os meios ... os fins

5. Vi__________ para secretária de direcção na secção «Emprego» do jornal de hoje e resolvi responder.

a) um reclamo b) um cartaz c) um anúncio d) publicidade

6. Oxalá ela consiga __________ o recorde mundial da maratona.

a) bater b) vencer c) correr d) ganhar

7. Eles têm treinado bastante e estão em excelente __________ .

a) aspecto b) constituição c) situação d) forma

8. O montante de qualquer empréstimo está dependente do __________ familiar.

a) honorário b) orçamento c) vencimento d) rendimento

9. Fui ver __________ para alugar em Cascais. Tinha dois pisos, um grande jardim e piscina.

   a) um apartamento b) uma moradia c) um andar d) uma loja

10. O Quim nunca está doente. É são como __________ .

    a) um tomate b) uma alface c) um pêro d) um cacho

11. O __________ é responsável pela execução de um filme no que respeita à angariação e controlo dos custos.

    a) produtor b) realizador c) encenador d) agente

12. Como é filha do patrão, __________ para fazer o que lhe apetece.

    a) não tem papas na língua c) tem as costas quentes
    b) não dá o braço a torcer d) fica de pé atrás

13. Lá anda o __________ com os jornais debaixo do braço a correr entre os carros.

    a) ardina b) jornalista c) jornaleiro d) repórter

14. Esse artista é da opinião de que os azulejos só deviam servir para __________ paredes.

    a) pintar b) tapar c) fechar d) revestir

15. O sistema educativo português tem melhorado __________ .

    a) a torto e a direito c) a olhos vistos
    b) a par e passo d) de vento em popa

16. O ensino preparatório engloba 2 __________ de escolaridade.

    a) anos b) classes c) ciclos d) graus

17. Não tive dificuldade nenhuma com o teste: __________ .

    a) deu-me água pela barba c) foram favas contadas
    b) foi canja d) vi-me grego

18. As eleições __________ destinam-se a eleger os órgãos de poder local.

    a) administrativas b) presidenciais c) legislativas d) autárquicas

19. O__________é, por inerência, Comandante Supremo das Forças Armadas.

    a) Primeiro-Ministro
    b) Presidente da República
    c) Governador Civil
    d) Presidente da Assembleia da República

20. O Zeca, por causa do acidente, passou a noite nos serviços de __________ do hospital.

    a) emergências b) cuidados de saúde c) urgência d) doenças

APÊNDICE LEXICAL

Listagem do vocabulário introduzido no Livro 3

Esta lista apresenta apenas o vocabulário activo constante nas unidades, isto é, o vocabulário dos ***Diálogos***, das ***Apresentações***, das ***Oralidades***, dos ***Textos*** e das ***Escritas.*** Assim, o vocabulário passivo apresentado nos documentos autênticos, nas ***Áreas gramaticais/Estruturas*** ou no ***Sumário*** não se encontra listado. O vocabulário passivo pode, no entanto, ser utilizado pontualmente, quer nas ***Apresentações*** quer nos exercícios orais e escritos. Os verbos estão apenas representados pela forma do infinitivo, excepto quando usados numa expressão.

O número indicado à frente das palavras/expressões refere-se à(s) Unidade(s) em que estas aparecem. Quando há mais do que um número para a mesma palavra/expressão, o(s) destacado(s) assinala(m) a unidade em que esta foi trabalhada.

VOCABULÁRIO

A

A. N. A. (Aeroportos e Navegação Aérea)	14
a não ser que	7
a aba	17
o abaixo-assinado	**20**
abandonar	14
o abastecimento	18
abdicar	14
abertamente	8
abranger	16
abrigado	13
a abstenção	18
abstracto	12
abundar	8
abusar	2
o acabamento	9
académico	3
açambarcar	2
acarinhar	4
acaso	19
por acaso	14
a aceitação	17
aceso	19
acessível	15
o acesso	8
acima	17
o acolhimento	11
acompanhar (de)	3
o acordo	15
de acordo com	15
a açoteia	8
acreditar (em)	9
o acréscimo	20
activamente	19
activo	1
o acto	13
o actor	1
a actuação	3
a actualização	16
actualizado	18
a acumulação	8
a adega cooperativa	18
adequado	16
a adesão	13
a administração	17
o administrador	15
administrativo	17
admirar	12
adquirir	12
advir	**19**
afiar	5
a África do Sul	14
africano	11
agarrar-se (a)	20
agasalhar	17
o agasalho	7
a agência de viagens	13
o agente	12
agredir	14
o agregado familiar	20
aguardar	14
a aguardente	1
a aguardente de medronho	8
ainda que	7
ajardinado	13
albergar	11
Albufeira	14
alcançar	16
o álcool	14
alcoólico	10
o aldeamento	13
além	18
alertar	14
a alfabetização	16
algo	17
o alicerce	7
aliciante	3
altamente	14
a alteração	13
a alternativa	18
em alternativa	17
altivo	1
o aluguer	9
amanteigado	10
a Amazónia	6
a ambição	3
a ameaça	16
ameaçar	14
a amêijoa	1
a amizade	1
o amolador	5
o amor-perfeito	**20**
amplo	9
analisar	7
o analista	18
o anexo	8
a angariação	12
a angina	17
a animação	13
a ânsia	5
a antecipação	19
a antena	9
anteriormente	5
antes que	2
antever	**19**
o antibiótico	7
a anulação	13
anunciar-se	5
o anúncio	3
o aparecimento	20
o apartamento	**17**
o apátrida	20
aperceber	12
aperceber-se	6
aperfeiçoado	15
o aperfeiçoamento	16
apertado	16
aplicar	19
apoiado	8
apreciável	7
apregoar	5
o aprendiz	18
a apresentação	11
apresentar-se	2
apressadamente	14
apressado	14
aprovar	19
o aproveitamento	8
apurado	15
o ar condicionado	9
árabe	11
o arame farpado	14
o ardina	5
a área de estudo	16
arenoso	8
a argamassa	8
o argumento	19
árido	13
a arma	14
a arma nuclear	6
arménio	11
a arqueologia	12
o arranhão	20
arranjar-se	12
arrastado	5
os arredores	9
arrepender-se	17
arrogante	1
arrojado	1
o arrombamento	14
arrombar	20
a artéria	14
as artes plásticas	12
artesanal	15
asfixiado	14
o assaltante	14
assassinado	14
assegurado	8
assegurar	9
a assembleia	18
a assoalhada	9
assim que	5, **8**
assinalável	6
a assinatura	3
assumir	2
a astrologia	1
o ataque	14
o atelier	**17**
Atenas	4
o atendimento	20
a atitude	15
a atmosfera	6
atraente	13
atrapalhar-se	15
através de	6
atravessar-se	20
o atrelado	17
a atribuição	12
atribuído	19
atropelar	20
a autarquia	18
as autárquicas	18
autárquico	18
a auto-aprendizagem	17
as autoférias	13
o automóvel	17
a autonomia	17
a autópsia	14
a autoridade	14
autoritário	1
autorizar	9
avançar	8
avariar	14
Aveiro	7
avir	**19**
avir-se	**19**
avisar	3
azul-marinho	**20**
o azulejo	12

desfrutar 12
desgostar 5
desistir 1
desleixado 17
o deslize 13
deslumbrante 20
desmaiar 17
desmascarar 1
desmazelado 14
desmentir 7
desmontável 20
desmoralizado 19
desobrigar 6
despejar 6
o despejo 4
despender 9
a despensa 8
a despesa 14
despistar 13
despovoado 6
desrespeitar 10
destacar 17
destinado 16
destinar-se (a) 3
o destinatário 6
a destruição 20
desviar 3
detalhado 14
detectar 14
deter 6
o detergente 3
detestar 20
devagar 18
o dever 18
o dever cívico 17
o diapositivo 5
o Diário de Notícias 20
a difteria 17
a digressão 18
o dilema 1
o diminutivo 1
dinâmico 3
o dinamismo 12
o diplomado 9
o direito 11
o dirigente 12
dirigir 13
a discoteca 18
o discurso 15
a discussão 7
o disparate 9
a dispensa 7
dispensar 19
a disponibiidade 3
dispor 13
disseminado 20
dissuadir 6
a distância 17
a distinção 11
o distrito 18
diversificado 3
dividido 18
a divisão 8
a divulgação 11
doar 6
dobrado 18
o dobro 16
a documentação 12
o doente crónico 20
dominador 1
dominar 7
o domínio 12
o donativo 6
dormitar 17
o Douro 10
o doutoramento 17
o dramaturgo 12
ducentésimo (200º.) **19**
a duna 8
dúnico 8
duvidar 3

E

ecológico 6
a economia 15
económico 5
editar 11
o editor 12
editorial 12
a educação 12
a Educação Física 1
educativo 11
efectuar 15
a eficiência 3
egípcio 11
o electrodoméstico 9
a electrónica 16
a eleição 16
eleito 18
o eleitor 18
o elemento 8
elevado 3
emagrecer 1
embater 20
embelezar 15
o emblema 18
embriagado 10
a emergência 20
emoldurar 17
o empenhamento 18
empenhar 6
o empréstimo **9**
o encanto 17
o encargo 13
encarregar-se (de) 5
o encenador 12
encoberto 13
encontrar 20
enganar 10
enquanto **8**
enquanto que 17
enriquecer 11
enrolado 17
o ensino 16
entender 16
a entorse 20
as entradas 1
Entre-Douro-e-Minho 10
entrever **19**
a entrevista 6
o entusiasmo 18
enumerar 19
envelhecer 10
envelhecido 10
o envelhecimento 10
envergonhado 17
enviado 20
envidraçado 17
envolver 8
epidémico 20
a equipa **17**
equipado 13
o equipamento 12
equipar-se 4
a equitação 13
erguer 8
escalar 14
escapar 20
escassear 8
esclarecer 20
a Escola de Belas-Artes 15
Escorpião 1
o escravo 6
escrito 3
a escritura 17
o escrutinador 18
o escultor 12
a escultura 11
esforçar-se 5
o esforço 4
esgotar 2
espalhado 11
especial 10
a especialidade 10
especializar-se (em) 15
a esperteza 1
esporádico 13
essencial 11
estabelecer 11
estabelecido 19
a estaca 8
a Estação de Campanhã 7
a Estação de Santa Apolónia 7
o estacionamento 9
estacionado 9
o Estado 18
estatal 16
estável 3
estender-se (por) 10
a estética 12
estimular 11
estrangular 14
estreito 16
a estrutura 20
estruturado 16
evidente 10
evoluir 15
o ex-director **20**
exactamente 18
exagerar 18
o exame *ad hoc* 17
examinar 2
excelente 6
Excelentíssimo (Exmo.) 3
à excepção de 18
excluir 19
a execução 12
executar 19
exonerar 19
a expansão 15
expansivo 1
a experiência 3
a experimentação 12
explorar 9
explosivo 1
o expoente 10
expor 11
exposto 17
expressionista 12
exterior 8
o exterior 8
o externato 16
extinguir 6
extraordinariamente 10
extraordinário 11
a extremidade 14
extrovertido 1

F

a fábrica de Santa Ana 15
o fabricante 6
fabricar 10
o fabrico 10
fabuloso 20
a face 10
a fachada 15
as facilidades 13
facilitar 17
facilmente 1
facultar 12
facultativo 16
a fadiga 10
a faixa 8
falecer 11
a falésia 13
falhar 8
o familiar 14
farmacêutico 3
a Farmácia 3
o farol 14
fartar-se 10
fartar-se (de) 10
a fealdade 1
a fechadura 20
a feijoada 1
o feitio 16
a felicidade 13
o ferido 14
o ferimento 16
a fidelidade 1
fiel 1
o figo 8
figurar 15
filantropo 11
a filial 3
filosofar 2
a filosofia 19
a fim de que 20
final 17
o final 17
financeiro 17
financiar 6
fingir 15
fisicamente 14
fixar-se 11
a foca-bébé 6
a fonte 11
a fotocopiadora 16
a Foz 4
o fracasso 13
frágil 6
francamente 15
a freguesia 18
à frente de 18
a frequência 3
a frescura 12
a frincha 19
a frontaria 8
fugir 14
funcional 8
o funcionamento 18
funcionar (como) 8
o funcionário 7
a Fundação 11
a Fundação Calouste Gulbenkian 11
o fundador 11
fundamental 20
fundamentar 14
no fundo 18
furtar 14
o furto 14

G

a gaita de beiços 5
a galeria 11
a Galeria Municipal 15
galgar 5
a gama 3
a ganância 17
garantir 20

EXPRESSÕES